日本史の謎は「地形」で解ける

竹村公太郎

PHP文庫

○本表紙図柄＝ロゼッタ・ストーン（大英博物館蔵）
○本表紙デザイン＋紋章＝上田晃郷

はじめに

◎上から目線

昭和45年に大学を卒業して建設省のダム現場に配属された。栃木県の鬼怒川のダム現場を皮切りに、雪深い福島県会津のダム、首都圏の神奈川県丹沢のダム現場を経験した。建設行政では東京、新潟、名古屋、広島に勤務し、全国各地の生活を経験してきた。

この20年間の転勤生活で、全国各地の地形と気象の多様性に何度も驚かされた。日本列島の中央には脊梁《せきりょう》山脈が走り、そこから無数の川が流れ下り、少し車で走ると地形も気象もがらりと変化していく。この南北3000㎞の列島が一つの国を形成している不思議さに包まれたこともあった。

その後、市民団体やマスコミから自然破壊と激しく非難されていた長良川河口堰《ながらがわかこうぜき》問題のチームに投入された。与えられた任務は、ジャーナリストや知識人と会い、長良川河口堰事業を説明して理解してもらうことであった。やりがいのある任務であり、毎日眠るのも惜しんで仕事に向かっていた。

ある時、辛口で知られている社会評論家に説明することとなった。その方はひと通り長良川河口堰の説明を聞いた後、「やっと長良川河口堰が問題になった理由が理解できた。竹村君の今の30分の説明の中で『長良川流域の人々の生命と財産を守る』という言葉が3回も出てきた。そのような〝天下の印籠《いんろう》が見えないか〟という態度が、この事業がこじれている最大の理由ということが良く理解できたよ」と言って席を立たれてしまったのだ。

全ての著作を読んでいたほど尊敬するその社会評論家に打ちのめされてしまった。私はいかに上から目線で説明していたか。人々の心に届かない言葉で強引に説得しようとしていたか。その社会評論家は鋭い言葉でそれを私に思い知らせてくれたのだ。

43歳の時であった。

◎下部構造からの視点

心が落ち込んでも仕事は続けなければならない。毎日のように長良川河口堰の説明をするが、もう「人々の生命財産を守る」という印籠は出せなくなっていた。この印籠は、上から目線で人々を説き伏せるものだと知ってしまった。その印籠を封じて長良川河口堰を説明するという難しい作業となった。

半年後、ある高名な文学者に説明することとなった。その別れ際に、竹村さんの説明は分かりやすいですね、と言われた。そのような言葉をかけてもらえるとは夢にも思っていなかった。私は緊張して長良川の地形と過去の災害と河口堰の機能を説明しただけであった。

その帰路で気がついた。インフラ屋の私はインフラ、つまり下部構造を徹底的に説明すればよい。思想、哲学、社会、宗教、文学などの上部構造に手を出さずに、自分が得意な地形と気象の分野を表現すればいい。

地形と気象だけは人に負けないほどの知識と経験がある。その地形と気象の事象を丁寧に拾い出して提示していく。その地形と気象の材料を使って他分野の人々と会話をしていく。それが私の役目であると気がついた。

◎信長、秀吉、家康が欲した難攻不落の地形

７年間の激務の後に大阪へ転勤となった。勤務場所は上町《うえまち》台地の先端の大阪城の直近であった。昼休みに大阪城を散歩していると、「本願寺跡」という看板があった。

本願寺が大阪城の跡にあった？　本願寺は京都ではないのか？　京都の東西の本願寺は後から建造され、本願寺の本拠地はこの大阪城跡だったことを、関東育ちの私は知らなかった。

石山本願寺は、16世紀の世界最強軍団を率いる織田信長と11年間も戦い、ついに負けることはなかった（最終的にはこの地からの退去を条件に和睦《わぼく》）。彼らの拠点がこの上町台地の大阪城の跡にあったという。戦国時代の上町台地の周辺の低地は湿地帯であった。当然、そのことを土木の専門家の私は知っていた。

ここを攻める兵隊たちが上町台地に近づけば、足は泥に取られ身動きできなくなり、台地の上から矢で射られ放題となる。

本願寺が十年以上も持ちこたえたのは、本願寺の信者たちに強い宗教心があった

からと歴史では学んできた。しかし、この本願寺跡の地形を見詰めていると、彼らは難攻不落の地形に陣取ったから負けなかったのだということが見えてくる。

織田信長はこの地形を奪おうと11年間かけた。その後、豊臣秀吉はこの地形を利用して難攻不落の大坂城を建造して天下を制した。その後、徳川家康はいかに秀吉の難攻不落の大坂城を陥落させるかに腐心した。

上町台地に立って地形を見ていると、戦国時代の3大英傑の信長、秀吉そして家康が、この難攻不落の土地を巡って血みどろの戦いをした意味がひしひしと伝わってきた。

私の中で、地形と歴史の新しい物語が生まれていった瞬間であった。

◎地形を見ると、歴史の定説がひっくり返る

地形を見ていると新しい歴史が見えてくる。この驚きが、日本各地の地形と気象を改めて見直していく動力となった。ところが、この作業は勇気がいる作業となった。

何しろ地形や気象から見る歴史は、今まで定説と言われていた歴史とは異なる。

このような説を発表すれば、素人が何を言うか、と歴史の専門家たちからの叱責《しっせき》を覚悟しなければならない。

しかし、地形と気象は動かない事実である。そのぶれない地形と気象の事象をどう解釈して、どう表現するかは各自の自由である。その解釈の根拠としてぶれない地形と気象を共有していれば、議論は拡散せず、客観的にある方向に向かっていく。

そのような覚悟で、地形から解く歴史の謎を書き進めたものがこの文庫本にまとまった。

この文庫本のまとめ作業は楽しく進んだ。何しろ編集者の中村康教さんがとても面白がってくれたからだ。

これまで全国各地で多くの人々と出会い、その土地で酒を飲み交わしながら聞いた話も、この文庫本の糧《かて》になっている。

全国各地でお会いした人々と全国各地の地形に心より感謝したい。

日本史の謎は「地形」で解ける ◆目次

第1章 関ヶ原勝利後、なぜ家康はすぐ江戸に戻ったか

巨大な敵とのもう一つの戦い

第2章 なぜ信長は比叡山延暦寺を焼き討ちしたか

地形が示すその本当の理由

第3章 なぜ頼朝は鎌倉に幕府を開いたか

日本史上最も狭く小さな首都

第4章 元寇が失敗に終わった本当の理由とは何か

日本の危機を救った「泥」の土地

第5章 半蔵門は本当に裏門だったのか

徳川幕府百年の復讐①

第6章　赤穂浪士の討ち入りはなぜ成功したか

徳川幕府百年の復讐②

第9章　なぜ家康は江戸入り直後に小名木川を造ったか

関東制圧作戦とアウトバーン

第10章 江戸100万人の飲み水をなぜ確保できたか

忘れられたダム「溜池」

第11章 なぜ吉原遊郭は移転したのか

ある江戸治水物語

第12章　実質的な最後の「征夷大将軍」は誰か

最後の〝狩猟する人々〟

第13章　なぜ江戸無血開城が実現したか

船が形成した日本人の一体感

第14章 なぜ京都が都になったか

都市繁栄の絶対条件

第15章 日本文明を生んだ奈良は、なぜ衰退したか

交流軸と都市の盛衰

第16章 なぜ大阪には緑の空間が少ないか

権力者の町と庶民の町

第17章 脆弱な土地・福岡はなぜ巨大都市となったか

漂流する人々の終の棲家

第18章 「二つの遷都」はなぜ行われたか
首都移転が避けられない時

本文デザイン◎印牧真和

第1章

関ヶ原勝利後、なぜ家康はすぐ江戸に戻ったか

巨大な敵とのもう一つの戦い

１６００年、徳川家康は天下分け目の関ヶ原の戦いで勝利した。３年後の１６０３年に征夷大将軍となった家康は、さっさと江戸に帰り、江戸で幕府を開府した。

この江戸開府の事実はよく知られていて、これがおかしいなどと疑問を唱える人はいない。しかし、この江戸開府には大きな謎が横たわっている。

征夷大将軍の称号を受けたとはいえ、この時点で家康が天下を統一したといえる状況にはなかった。豊臣家の当主の秀頼とそれを守る淀君は、大坂城に君臨していたし、その豊臣家に忠義をつくす大名や、虎《こ》視《し》眈々《たんたん》と天下を狙っている有力大名は全国に数多くいた。

それなのになぜ、家康は京都や名古屋など、実態的に天下を把握できる地に本拠を置かなかったのか？　なぜ箱根までも越え、京都から５００㎞も東の大いなる田舎の江戸に引き返してしまったのか？

歴史の専門家は人文社会の面から江戸開府に光を当てている。しかし、私は地理や地形の面からこれを見ていく。そうすると、今までと異なった新しい江戸開府の物語が浮かび上がってくる。

「江戸への転封命令」に家臣たちが激怒した理由

1590年、家康は豊臣秀吉に江戸への転封を命ぜられた。関ヶ原の戦いが始まる10年前のことだ。

家康は生涯においてさまざまな辛酸をなめるが、なかでもこの江戸転封の苦しさ、悔しさは一位二位を争うものであった。

家康は1583年に甲府城の建造に取りかかり、ほぼ完成させていた1590年に江戸行きを命じられたのだ。当時の甲府は、西日本と東日本そして東海の静岡との重要な結節点であった。秀吉は甲府から家康を追い出した後、織田信長の遺児で秀吉の養子の羽柴秀勝をこの地の責任者に当てたし、江戸時代を通して徳川幕府は甲府を直轄地にしたほど重要な土地であった。

江戸転封の名目は、北条氏討伐の先鋒をつとめた家康に関東六カ国をつかわすから江戸に行け、というものであった。この命令に家康の家臣たちは激昂《げきこう》したと伝わっている。

何故、この江戸転封がそれほどひどい扱いだったのか？　何故、それほど徳川の家臣たちは激昂したのか？

関東は北条支配が長く続いたので、ここを統治するのが大変だった、という解釈がある。

私は違った解釈を持っている。

それは「江戸は手に負えないほど劣悪で、希望のない土地だった」からだ。

二つの関東平野

以前、気候変動の議論の一環で「海面が上昇すると未来の日本列島はどうなるか？」を知りたくて、コンピュータで海面を5m、10m、30mと上昇させた図を作った。

これらは面白半分の想像図だったが、海面上昇5mのケースだけは単なる想像ではなかった。かつて、日本周辺の海面は、今より実際に5m高かったのだ。

図1が現在の関東の陰影図で、**図2**が海面を5m上昇させた時の関東の陰影図で

図1　現在の関東

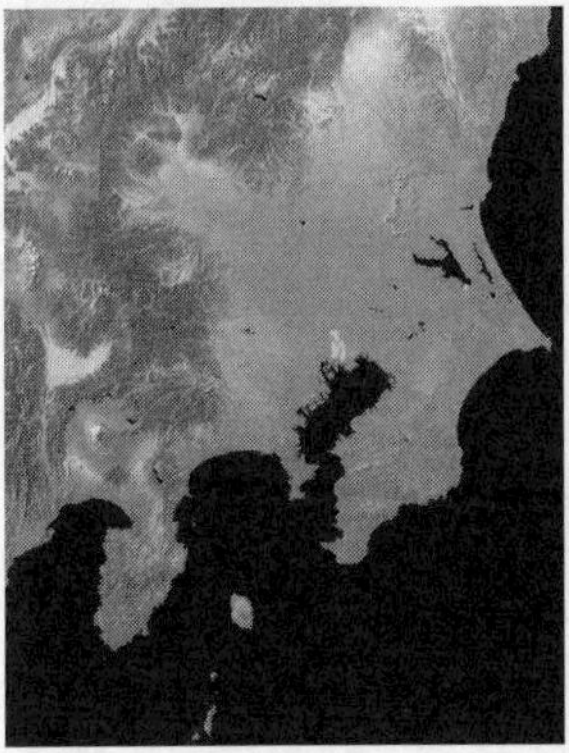

図2　縄文前期の関東（海面5m上昇）

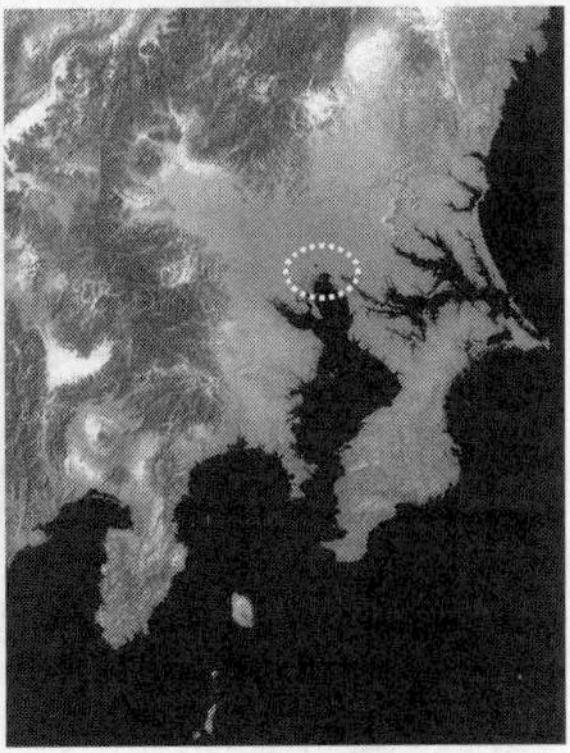

6000年前には海面が5mほど高かったので、海は関東地方の奥深くまで入り込んでいた。　提供：一般財団法人日本地図センター

ある。

約6000年前の縄文前期、大気温は現在より高く、海面は数メートル上昇していて、海は関東の奥まで侵入していた。これが「縄文海進」である。コンピュータのおかげで、その姿をこのようにリアルに見られるようになった。

縄文時代の海岸線を知るには、貝塚分布を調べる方法もある。貝塚は海辺にあるので、その分布を見ると当時の海岸線が浮かび上がってくる。その関東地方の貝塚分布も、この**図2**の海岸線と一致している。

それにしてもショッキングな図だ。

横浜市、川崎市、千葉県の海岸部はもちろん、東京の東半分から埼玉県にかけての関東南部が海になっている。その海は、現在の埼玉、栃木、千葉三県の境が接する久喜市の旧栗橋町まで北上していた。

「関東平野は縄文時代には海の下だった」

この地形図を見ていると、江戸開府の新しい物語が誕生してくる。

関東平野ではなく関東「湿地」だった

図2を見て気がつくことがある。それは「関東には二つの流域があった」ことである。

関東平野といえば利根川である。現在の利根川は北関東の山々からの支川を集めて銚子から太平洋に流れている。関東平野は利根川が運ぶ土砂と火山灰が堆積した沖積平野、と学校で習ってきた。現在の地理院の地図を見ても、関東平野は利根川流域そのものである。

しかし、この**図2**の関東の様相はまるで違う。

関東は二つの流域で構成されている。太平洋へ流れ出る鬼怒川、霞ヶ浦の流域と、もう一つ東京湾に流れ込む利根川、荒川流域だ。

この二つの流域を分けているのが、現在の松戸市、柏市、流山市、野田市へ続く千葉と埼玉の県境にある下総《しもうさ》台地である。

縄文時代の南関東一帯は、東の下総台地と西の武蔵野台地に挟まれた盆地状の底にあり、利根川、渡良瀬川、荒川が合流して大きな河口部を形成していた。関東北西部の屛風のように連なる山々に降った雨は、この低地の底の南関東に向かって流れ込んでいた。

1590年、徳川家康が江戸に入った時には海面は下がり、海岸線はすでに沖の方に後退していた。その海が引いた跡に、利根川が江戸湾（現・東京湾）に向かって流れ込んでいた。その利根川の運ぶ土砂が堆積して関東平野が顔を現わしていた。しかし、この広大な関東は現在のような平野ではなかった。

かつて海だった低地は水はけが悪い。排水ポンプなどない時代、ひとたび雨が降れば水は行き場を失い一面に溢れていた。さらに、利根川、渡良瀬川、荒川が流れ込んでいたので、この一帯は何日間も何カ月間も浸水したままの土地であった。

当時の関東は「平野」ではなく「湿地」であった。

家康が見たもの

平安から鎌倉時代にかけ、秩父一族の豪族の江戸氏がこの地を開発した。室町時代、扇谷上杉家の家宰の太田道灌《どうかん》が江戸に城郭を築造した。そこは武蔵野台地の東端の海に面した小高い丘の上であった。現在の皇居の場所である。応仁の乱からの戦国時代に関東一帯を制したのが北条氏であった。1524年、北条氏は上杉氏を追放し江戸城郭も支配した。

この時代、東北日本と西日本を結ぶルートは2ルートあった。一つは、今の福島から栃木、北埼玉、群馬の北関東の陸路ルートである。もう一つは、福島から茨城、千葉を南下し、房総半島から船で西に向かう海路ルートである。

江戸湾の奥に位置する武蔵野台地の東端の江戸は、北関東の陸路ルートから外れ、太平洋の海路ルートからも外れていた。江戸が人のまばらな寒村であった理由は、この二つのルートから外れていたことにある。

1590年に家康が江戸城に入った、といってもそれは荒れ果てた砦であった。天下人の秀吉と雌雄を争う家康が入るような城ではなかった。

それ以上に、江戸城郭から見渡す風景は、凄まじいほど悲惨であった。見渡す限りヨシ原が続く湿地帯であり、雨になれば一面水浸しになる不毛の地であった。

秀吉による江戸転封命令が、徳川家にとっていかに我慢ならない仕打ちであったか。その理由は、この関東が途方もなく劣悪で使い物にならない土地だったからだ。

歴史家たちが言うように「家康の武将たちが激昂したのは、北条氏の勢力が残る土地へ行かされたから」ではない。そのような理由で、家康の武将たちが激昂するわけがない。残党を成敗するのが彼ら武将の役目であり、血に飢えた戦国武将たちは喜んで戦いに向かっていったはずだ。

江戸に入った時、彼らが目にしたものは、何も育たない湿地帯が延々と続き、崩れかけた江戸城郭だけがぽつんとある風景であった。彼らはこの荒涼とした風景に驚愕し圧倒され、この地に未来の希望を見出すことができなかったのだ。

その絶望感から徳川家の家臣たちは心の底から怒ったのだ。

関東一帯を歩いて探し当てた「宝物」

家康は激昂する武将たちをなだめ、荒れ果てた江戸に入ったと伝えられている。

家康はこの粗末な江戸城郭に入ったが、城の大修復や新築には取り掛からなかった。江戸城の本格建築に着手するのは関ヶ原の戦いの後であり、五層の天守閣の江戸城が完成するのは3代将軍家光の時代であった。

また、江戸の町づくりに本格的に着手するのも、関ヶ原の戦いの後である。では1600年までの間、家康は一体何をやっていたのか？

この時期、家康は鷹狩りと称して、関東一帯を徹底的に歩き廻っていた。この現地踏査は、後年の検地や知行割などの政策で生かされていった。しかし、それ以上に、これは歴史的に重要な意味を持つこととなった。

家康はこの関東の現地踏査で「宝物」を探し当てていた！

それを手に入れれば、間違いなく天下を確実にする代物であった。さらに、その宝物はまだ誰にも発見されていなかった。

その宝物とは、日本一広大で、日本一肥沃で、日本一豊富な水がある温暖な「関東平野」であった。

3000年前、日本人は米を手に入れた。米は何年間も貯蓄でき、容易に計量でき、富の交換の基準となった。弥生時代以降、日本人の富は米であり、米を獲得することが権力を握る方法となった。

この関東は、その米を生み出す宝の土地であった。しかも、この宝は誰も手をつけてない処女地であった。なぜなら、その宝は関東の湿地の下に隠れていたからだ。

家康は湿地の下に隠れている宝の「関東平野」を見抜いた。

今この地には利根川、荒川が流れ込み、水はけが悪く、雨のたびに浸水する劣悪な土地である。しかし、この利根川を遠くへバイパスさせ、水はけさえ良くすれば、ここは肥沃な水田地帯となる——。

宝物は発見したが、やらねばならないことがあった。

広大な湿地帯を乾いた土地にするという、日本史上に例のない大規模な大地改変の課題が立ち塞がっていた。

家康が克服すべき強大な敵、戦うべき新たな敵、それは利根川であった。その敵を征服すれば、他大名を圧倒する富を獲得し、天下は自動的に転がり込んでくる、と家康は看破した。

日本の歴史を変える工事に着手

1590年に江戸に入り1600年の関ヶ原の戦い以前、家康は関東一帯の調査に引き続いて二つの工事に着手していた。

一つが有名な1592年の日比谷入江の埋立てである。近くの神田山を削って江戸城下を取り巻く湿地帯を埋め立てる。埋立地に武士たちを住まわし、埋立地を沖へ押し出し、舟の接岸の水深を確保するものであった。

これは江戸の中心で行われたので、江戸都市建造の代表として伝えられている。

実は、この江戸湾埋立てという華々しい工事の陰で、日本の歴史を変える根幹的な工事が着手されていたのだ。

1594年、江戸から北へ60㎞も離れた川俣（現在の埼玉県羽生《はにゅう》市の北部）で人知れず着手されていた。それは「会《あい》の川締切り」と呼ばれる河川工事であった。家康はこの工事を極めて重要なものと認識していた。その証拠に、家康は四男・松平忠吉を工事責任者として今の埼玉県行田《ぎょうだ》市の忍《おし》城の城主に据え、利根川の治水と関東の新田開発に専念させる体制を構えた。

この「会の川締切り」は湿地の関東を乾陸化する第一歩であった。これにより、気の遠くなる自然との闘いの緒戦が切って落とされた。

しかし、1598年豊臣秀吉が世を去り、天下を賭けた人間同士の戦いが始まろうとしていた。そのため関東での自然との戦いは、いったん中断されてしまった。

家康帰京の謎

1600年、関ヶ原の戦いで家康は勝利した。天下は家康のものになろうとしていた。戦後、家康は京都伏見に居を構え、征夷大将軍の称号を得るため朝廷工作を展開し、1603年、家康はやっとそれを得ることができた。

ここで、大きな家康の謎が発生する。

家康はその称号を授かると、さっさと江戸に帰ってしまったのだ！

1603年、江戸幕府の開府というのは、この征夷大将軍の家康が江戸に帰ったことを指している。江戸城に「江戸幕府」という看板が掛けられたわけではない。家康が江戸に帰ったのが1603年だった。

この時期、江戸に帰るのは危険な選択であった。

なぜなら、関ヶ原の戦いで豊臣家が滅んだわけではなかったからだ。関ヶ原の戦いは、形式上、家康が石田三成という反乱軍を征伐したに過ぎなかった。

豊臣家の当主の秀頼とそれを守る淀君は、大坂城に君臨していた。さらに、その豊臣家に忠義をつくす大名や、虎視眈々と天下を狙っている有力大名は全国に数多くいた。

九州の島津家や細川家、中四国の毛利家や長宗我部家、近畿から北陸には真田家や前田家、東北には伊達家など油断できない有力大名が力を誇示していた。

それから10年後の1614年の大坂の陣でやっと豊臣家は滅び、徳川政権が磐石となったのである。この10年間は、まだ天下がどう転ぶか分からない微妙な時期であり、本当に天下を制する気なら駄目押しをする必要があった。

関西には、豊臣家が君臨する大坂城と権威の朝廷の京都御所があった。関西は、全国の大名を牽制する重要な地理を占めていた。さらに関西は、豪商が活躍し、国内、国外の物資や情報が集積する中心地でもあった。関西は、日本統一にとって不可欠な要の地であり、戦国時代は誰がこの関西を制覇するかの戦いであった。

家康はその権威と富と情報の関西をさっさと離れてしまった。それも箱根を越えて、京都から東へ500km も離れた大いなる田舎の江戸に。

歴史の専門家は「この時期、豊臣家の力はいまだ隠然と存在していた。家康は一気に力で天下を制圧するのではなく、豊臣家の力を徐々に削いだうえで滅ぼすという迂回した天下取りを狙った。そのために関西から離れた」という解説をしている。

しかし、これは歴史の結果の後付け解釈である。もし家康がそのような理由で関西から離れたければ、名古屋という絶好の地があった。さらに、三河や静岡という地でもよかった。また、かつて自分で城を築造した甲府もあった。これらの地なら理解できる。しかし、江戸は日本の文明の中心からあまりにも外れていた。

かつて家臣たちが激昂して嫌がった不毛の湿地の江戸、その江戸にわざわざ家康は戻ってしまった。

✣──日本史上、最大の国土プランナー

家康には戦いが待っていたのだ。

家康は一刻も早く江戸に帰り、戦いを再開させたかった。その闘いは自然との闘いであった。利根川の暴れる水を、銚子に向けてしまえば、広大な新田が手に入る。

50年間、家康は天下を獲得するため人の血を流し戦ってきた。今度は、その天下を治めるため、自然との闘いを開始する。この戦いは一筋縄ではない。今まで以上の年月と多くの人の汗を流すこととなる。

家康に残された人生の時間は少なかった。

江戸に帰った翌年の1604年、後に「お手伝《てつだ》い普請《ぶしん》」と呼ばれる制度を編み出した。これは諸大名を動員し、彼らの財力や人材を利用して大土木工事を行うもの

であった。このお手伝い普請で利根川との戦いが再開された。

中断していた中条堤築造の再開、赤堀川の掘削開始、元荒川の締切り、荒川、鬼怒川、小貝川の付替え、江戸川開削など次々と大規模河川工事が進められた。

そして遂に1621年、利根川と西の流域を結ぶ7間（約13m）の赤堀川が初めて開通した。**図2**の◯印の下総台地の一番狭い部分、今の栗橋と関宿の間を開削したのだ。

この台地の開削によって、利根川が太平洋とつながった。家康の「会の川締切り」から30年目、江戸幕府は3代将軍家光の時代となっていた。

さらに1625年、赤堀川を3間（約6m）拡幅し、1654年、赤堀川の川底を3間掘下げ、遂に本格的に利根川は江戸をバイパスして太平洋に流れ出した。5代将軍綱吉の時代であった。

その頃になって、関東は確実に湿地から農地へと姿を変えていった。

国際灌漑排水委員会の国内委員会「日本の灌漑の歴史」によると、1600年の日本の農地面積は140万haであったが、100年後の1700年にはその倍の300万haに急増している。それ以前の約1000年間は120～140万haで横ばいだったことからみると驚異的な農地の増加であった。

応仁の乱以来、戦国武将たちは農地を巡って戦ってきた。しかし、それはパイの大きさが決まっているゼロサムゲームであった。そのゼロサムゲームの閉塞状況を打破するため、秀吉は朝鮮への侵略を仕掛けて失敗した。

家康は新田開発によって、ゼロサムゲームからの脱皮を図った。全国各地の大名たちも、家康を真似て河川と戦い新田開発を行ったのが江戸時代であった。

しかし、自然の力は底知れない。それ以降も、利根川の洪水は何度も江戸を襲い多くの人命と財産を奪っていった。利根川との戦いは休むことなく継続されて１８０９年、11代将軍家斉の時代、やっと利根川（赤堀川）は40間（約73ｍ）にまで拡幅された。

１８６８年、時代は江戸幕府から明治政府になった。明治政府は江戸幕府の制度をことごとく覆し社会を根本から変革した。しかし、この明治政府も利根川との戦いはそのまま江戸幕府から引き継いだ。

１８７１年（明治4年）、明治政府による利根川（赤堀川）の切拡げ工事が再開された。それ以来、明治、大正、昭和、平成の現在まで引き継がれている。

家康が開始したこの戦いは家康一代では勝利しなかったが、何百年間の戦いでやっと日本はこの関東平野という宝物を掘り当てた。

家康は根っから戦う人だった。生涯の大半を人間の戦いの場で過ごし、人生の終盤では利根川という強力な敵に闘いを挑んでいった。

関ヶ原の戦いで勝利した後、1603年、家康が関西から江戸に飛ぶように引き返したのは、新たな戦いを一刻でも早く開始するためであったのだ。

これが江戸開府にまつわる新しい物語である。

図2では、利根川を東へ導いた「利根川東遷《とうせん》」がはっきり理解できる。関東平野を二つに分けていた下総台地の一番狭い箇所を開削すれば利根川は銚子に向かって流れる。そして、関東は洪水から守られ、新田が生まれていく。

何十年、何百年先の未来の国土を見通し、この河川工事を決断したのが家康であった。

明治の近代日本は、江戸からこの関東平野という遺産を引き継いだ。この関東平野を舞台にして、日本は近代工業国家へ変身した。そして、帝国主義時代の最後の帝国に滑り込むことで、欧米列国の植民地にならずに現在に至った。
日本史上、最大の国土プランナーは徳川家康であった。

第2章

なぜ信長は比叡山延暦寺を焼き討ちしたか

地形が示すその本当の理由

戦国時代で織田信長ほど恐れられて語られる武将はいない。信長が恐れられるエピソードはさまざまあるが、なんといっても比叡山延暦寺の徹底した焼き討ちが挙げられる。

信長がほぼ天下を治めつつあった1571年、信長は比叡山延暦寺の焼き討ちを行った。僧侶といわず女人、子供までも殺害し、寺社を焼き払ったと伝わっている。

この神仏も恐れぬ所業の理由として、僧侶たちの浅井家への加担とか、キリスト教の擁護とか、僧侶たちの仏道から外れた姿に我慢できなかったとか、寺社の商業利権を得るためとか数多くの理由が挙げられている。

それらの説は、すべて人文社会の分野での考察となっている。人間が複雑であるように、人文社会の分野は幅広く、多分野が複雑に絡み合っていて無数の見解が果てしなく出されていく。

しかし、いったん人文社会分野から離れて、織田信長が戦った尾張や琵琶湖周辺や京都の地理と地形を眺めてみると、あっけないほど簡単に信長の比叡山焼き討ちの謎が解けてしまう。

JR琵琶湖線は逢坂山トンネルを抜け、大津駅に入っていった。まだ南草津駅は先であったが、ふっと座席から立ち上がり、誰かに引きずり出されるように電車から降りてしまった。

一人取り残された私は、ホーム後方へ歩いていった。たった今、抜けてきた逢坂山トンネルの山を仰いだ。初冬の逢坂山は紅葉を少し残していた。しかし、逢坂山の右隣には大きな山がそびえ、その頂にはうっすらと白い雪が載っていた。

その薄雪の大きな山は「比叡山」であった。

「そうだったのか」と私はホームの上でつぶやいていた。

織田信長の新しい物語が生まれた瞬間であった。

逢坂山トンネルの重苦しさ

その2年前から、滋賀県草津市の立命館大学に週一回通っていた。京都駅で新幹線を降り、琵琶湖線に乗り換える。京都盆地から山科《やましな》を過ぎると、すぐ逢坂峠のトンネルに入っていく。

2年前、初めてこの逢坂山トンネルに入った時のことは鮮明に覚えている。山科を抜けると、左右の山が一気に近づいてくる。JR湖西線や国道1号が接近し、一つの束となってトンネルへ突進していく。そのトンネルに入っていった時、胸が圧迫され重苦しい気持ちになった。

どうしたのかと思っているうちに、広々とした琵琶湖南岸の大津へ出ていた。もう胸の重苦しさは消えていた。その時は、立命館大学での講義の緊張感だろうと思いこもうとした。しかし、どうもそれは違うようだった。その後、大学での講義にも慣れ、緊張感から解放されてからも、この逢坂山トンネルへ入るたびに重苦しさを感じた。

この重苦しさは一体なんだろうか？　地形が狭く、暗いためか？　何本も鉄路と道路が集中している圧迫感のためか？

その日も電車のシートに身を預けてそれを考えていた。その時、真っ暗なトンネルの中で光が一瞬よぎった。

トンネルを抜けた電車は大津駅に入っていき、私はとっさに電車を降りてしまったのだ。

大津駅のホーム後方の端に立ち、逢坂山と比叡山を見比べた。

薄雪の巨大な比叡山は、背の低い逢坂峠を真上から見下ろしていた。

この地形が原因であった。

織田信長が比叡山延暦寺を壊滅させた理由は、この地形だったのだ。

京の鬼門

風水での鬼門は東北の方角といわれている。鬼門とは鬼や竜が出入りする門で、その家の運気が左右されるという。平安京は魔界の都市といわれ、災いを鎮めるため、鬼門にあたる比叡山に延暦寺が建てられた、という説がある。しかし、これは誤りである。

平安京へ遷都されたのは794年である。その6年前の788年の長岡京の時代に、延暦寺は創建されている。大和盆地の平城京から長岡京へ遷都した桓武天皇は、長岡京のために延暦寺を必要としたのだ。

実は、長岡京にとっての鬼門が、長岡京の東北の方角にあった。それは宗教の形而上的問題ではない。極めて現実的で危険な京への門であった。

桓武天皇はその危険な鬼門の侵入口を防御するため、比叡山に延暦寺の創建を命じた。そして、その延暦寺の僧侶集団に鬼門を見張らせ、長岡京を守らせたのだ。

比叡山は長岡京にとって鬼門ではない。比叡山は長岡京にとって守護の地であった。

その比叡山が見守るべき長岡京の鬼門は、「逢坂」であった。

「頸動脈」地形

南北に細長い日本列島のほぼ中央に琵琶湖がある。さらに、日本海側と太平洋側が最も近づく場所が、この琵琶湖が横たわる近畿一帯であった。

琵琶湖は日本列島の交流の中心であった。さらに細部の地形を見れば、琵琶湖南岸の大津から京都へ山越えする「逢坂」が重要な地点となっている。

日本海側から京都へ向かえば、若狭湾から琵琶湖へ出て、琵琶湖の南岸の大津から逢坂を越えて京都へ入る。

図1　逢坂と長岡京・平安京

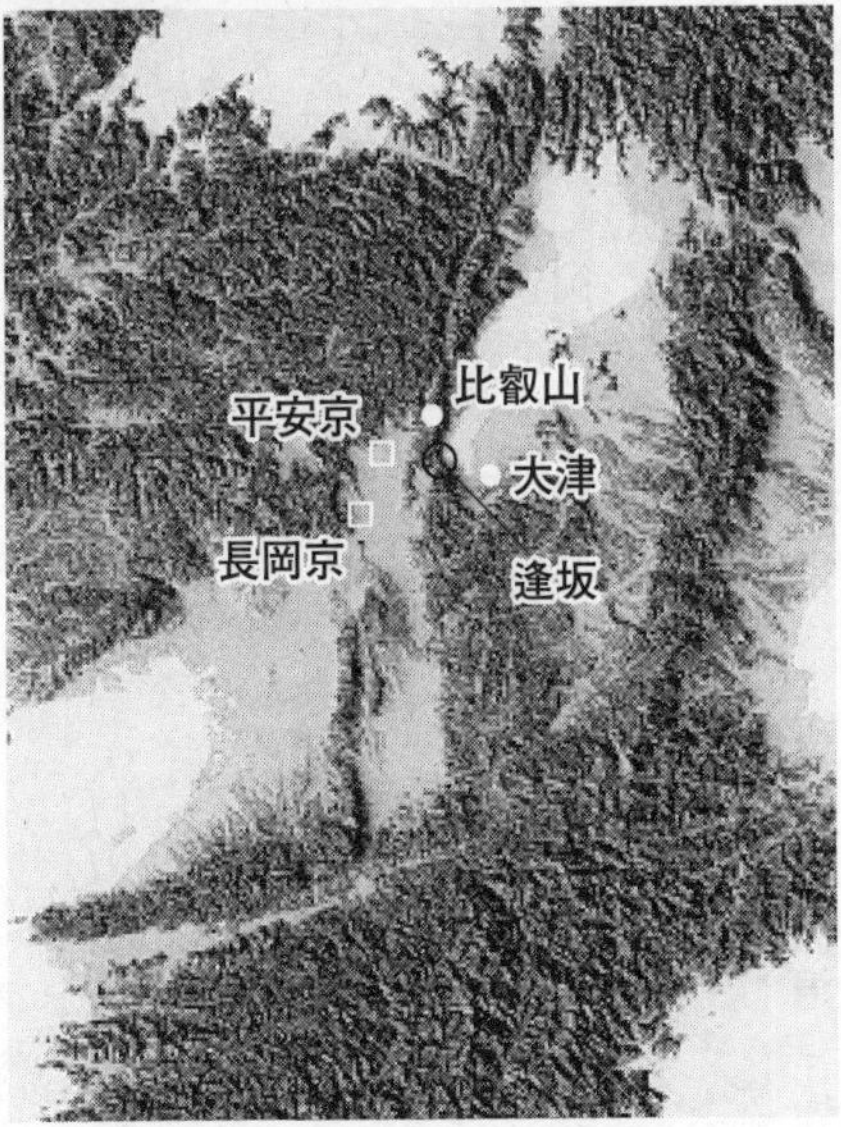

中部地方から京都へ向かえば、関ヶ原を通り琵琶湖へ出て、やはり大津から逢坂を越えて京都へ入る。

それは、大昔から21世紀の現代まで変わっていない。

現在、逢坂は日本中の動脈が集中する頸動脈である。

図1に逢坂の位置を示す。畿内と琵琶湖の間には幅広く険しい山地が屏風のように連なっている。その山々の中で、畿内に最も近い山が逢坂山だった。

この逢坂山に、東海道新幹線、JR東海道線・北陸線（琵琶湖線・湖西線）、京阪電鉄、国道1号線、名阪高速道路、さらに琵琶湖疏水までが集中している。昔も今も逢坂峠が、日本列島の東から畿内への入口なのだ。

この日本列島の東から畿内への入口の逢坂が、長岡京そして京都の鬼門であった。

恐れる桓武天皇

西暦784年、桓武天皇は日本文明発祥の地、大和盆地の平城京を出て長岡京へ遷都した。長岡京は桂川、宇治川、木津川三川が合流する巨椋池《おぐらいけ》のほとりにあった。舟運の便がよく、稲作に適し、淀川流域の森林にも恵まれていた。

南は無防備に開けていたが、その一帯はすでに制圧しており不安はなかった。北から東にかけては、屏風のように丹波山地と比良山地が連なっていて、防御しやすい地形であった。しかし、その鉄壁に見えた屏風に唯一の穴があった。東北の方角の逢坂峠であった。

畿内より先の東北は、いまだ制圧していなかった。東北の地では弓矢を得意とする人々が跋扈《ばっこ》していた。その彼らが京を襲う時は、必ず逢坂を通るはずだった。

当時、東北で跋扈する人々は「夷《えびす》」と呼ばれていた。松本健一氏はこの「夷」の漢字は「弓」と「一」と「人」の組み合わせで、その意味は「弓を射る人々」としている。

桓武天皇はこの夷を恐れた。

そのため、長岡京へ遷都したその年に、大伴弟麻呂《おおともものおとまろ》を初代の征夷大将軍に任じた。役目はその名前の通り「夷を征伐する」大将であった。桓武天皇は夷を恐れ、その夷を征伐する武士軍団を東北の地へ送り込んだ。

さらに、長岡京への侵入口の逢坂峠を恐れた。その逢坂を「鬼門」とし、逢坂の隣の比叡山に延暦寺を創建し、僧侶集団を配置した。それ以降、延暦寺の僧侶たちは武力を備え、逢坂から京へ侵入する者を監視し、京を守ることとなった。

比叡山延暦寺焼き討ち

桓武天皇が初代の征夷大将軍を任命して800年が経った。

その間、戦闘集団の武士群は着実に力を蓄えていった。征夷大将軍という称号は夷を征伐する意味から、武士群の頭目という意味に変質していた。

源頼朝が征夷大将軍となり、足利家がそれを継ぎ、世の中は武士の頭目を巡る戦国の世に入っていた。

1560年、日本中に衝撃的なニュースが流れた。室町幕府の足利将軍家を支え、将軍職をも継ぐ実力を誇っていた今川義元が討たれたという。それもたった26歳の織田信長という若造に、桶狭間の山中で討たれたという。

1562年、その信長は徳川家康と同盟を結び、濃尾・尾張地方をまとめた。

1568年、信長は、彼を頼ってきた足利義昭を奉じ上洛した。同年、足利義昭は第15代室町幕府将軍に就任した。

1570年、信長・家康連合軍は琵琶湖を勢力圏にしていた浅井《あざい》・朝倉連合軍を姉川の決戦で打ち破り、朝倉軍は越前に逃げ込み、浅井軍は小谷城《おだにじょう》に逃げ込んでしまった。

それを見届けると、1571年、信長は直ちに比叡山焼き討ちに向かった。僧侶といわず女人、子供までも殺害し、寺院を焼き払ったと伝えられている。寺社の焼き払いの程度の真偽はともかく、信長が比叡山の僧侶たちを壊滅させたことは事実であった。

なぜ信長は、神仏をも恐れぬ所業といわれる比叡山延暦寺焼き討ちを行ったのか？

地形から見た歴史

信長の延暦寺焼き討ちの理由は、さまざまに語られている。

延暦寺の僧侶たちが浅井氏に味方したため。キリスト教を庇護するため。僧侶たちが仏道の戒めを破ったので懲らしめるため。寺社勢力の商業利益を我がものにするため。古い権力のシンボルを破壊するため。

などなど、これらはすべて人文社会の観点からの物語である。

人文社会の観点で人間を論じると限りがない。人は誰でも多面体の人格を持っていて、ある面に光を当てれば他の面は陰になる。光の当たった面だけを表現しても、その人物を表現したことにはならない。そのため、人文社会分野での議論のぶれ幅は大きく、果てしなく議論は続いていく。

しかし、人々と社会を支えている下部構造の地形と気象から見ると、思いのほか、ぶれは少なく単純となる。人文社会に任せていた複雑な歴史に、今までにない分かりやすい物語を提供していける。

特に、この比叡山焼き討ちに関しては、大きな疑問が残されたままだ。その疑問とは、なぜ、信長は徹底して僧侶たちを虐殺したのか？である。

人文社会の分野では、戦国時代は人々の力関係で説明される。しかし、権力の駆け引きや力バランスからは、あの比叡山僧侶の大虐殺は説明されない。力関係であれば信長と比叡山の妥協と和睦で済む。しかし、信長は徹底して僧侶を虐殺した。それを説明できないので、原因を信長の狂気に押しつけてしまう。

しかし、地形から比叡山焼き討ちを見ると、その疑問はあっという間に解けていく。

信長は、逢坂と比叡山の地形に心から怯えていた。

恐怖に駆られた信長は、僧侶たちを徹底的に抹殺せざるをえなかったのだ。

地形を恐れる信長

比叡山は京への侵入口の逢坂を見下ろしていた。

信長はその比叡山と逢坂の地形関係に耐えられなかった。16世紀の世界最強の織田軍団は逢坂の地形を嫌った。

どのような強力な軍団も、緑繁る日本の山中ではその強さを発揮できない。日本の峠越えはどこも狭い。馬1頭、せいぜい2頭が並ぶ程度の幅でしかない。このような峠越えでは、軍の隊列は細長く伸びきる。そのような時、大将隊を横から攻撃して、前後の隊を切り離してしまえば、大軍はまったく役に立たない。孤立した大将隊は簡単に崩壊してしまう。

歴史上、そのことを一番よく知っている人間がいた。

それは、織田信長その人であった。

12年前、少数の信長軍は桶狭間の戦いで、圧倒的な大軍の今川義元を討ち取った。桶狭間はまさに山中であった。桶狭間の山中で今川隊が伸びきったところを、大将隊のみを狙って襲撃したのだ。

戦国の世を制するためには、上洛しなければならない。上洛するためには、この狭い逢坂峠を通らなければならない。その逢坂峠では、比叡山の僧兵が山猿のように俊敏に飛び、駆け巡り、侵入者を手ぐすね引いて待ち構えていた。

狭い逢坂峠は桶狭間を思い起こさせた。

信長は逢坂峠で恐怖にすくんだのだ。

比叡山の僧兵

比叡山焼き討ちの3年前の1568年、信長は足利義昭を奉じて上洛した。

歴史家たちは、信長は義昭を他の大名に見せつけるために奉じた、と説明する。

しかし、私の物語では、信長は比叡山の僧兵に対して奉じた、となる。義昭は比叡山の僧兵に対する人質であり盾であった。足利家は朝廷を支えてきた名門である。

信長は朝廷と親しい足利家の義昭を盾としたのだ。

京を守護する比叡山の僧兵は朝廷の親衛隊であった。世界史上、どこの親衛隊も増長していく。比叡山の僧兵も同様に強力な存在となっていた。平安時代の白河法皇の「ままならぬものは、鴨川の水、比叡山の山法師、双六の賽《さい》の目」という言葉がそれを端的に表わしている。

その僧兵軍団が見張るなか、信長は足利義昭を盾にして、逢坂峠を越えてどうにか上洛した。その時、信長は僧兵たちの股ぐらをとぼとぼと歩く恐怖を味わった。

信長が味わった恐怖は、今川義元に桶狭間で味わわせた死の恐怖であった。

信長が琵琶湖を制した直後、比叡山焼き討ちに向かったのは当然であった。

京への入口である逢坂峠を自由に行き来する。それが、信長の比叡山焼き討ちの目的であった。

比叡山焼き討ちの後、信長は足利義昭を追放して、室町幕府を完全に崩壊させた。比叡山から僧兵は一人残らず消え、もう逢坂を行く時に義昭を盾にする必要はなくなっていたからだ。

桓武天皇は夷を恐れ、二大武装集団を生んだ。

一つは東北の夷を征伐する武士軍団であり、一つは京を見張り防御する親衛隊の比叡山の僧兵であった。

800年後、逢坂を京に向かって進軍したのは、桓武天皇が生んだ征伐軍の頭目の信長だった。その信長は、比叡山の親衛隊が防御する逢坂峠に怯え、立ちすくんだ。

信長にとっても、逢坂は恐ろしい鬼門であった。

信長はその鬼門の逢坂を守る比叡山の僧兵を壊滅させた。この比叡山焼き討ち劇は、結果的に天皇の親衛隊を日本の歴史から抹殺してしまった。これ以降、日本文明では天皇の権威と武士の政治権力と宗教の棲み分けが確立した。

寒い大津駅のホームで逢坂山と比叡山を見ていると、この物語が生まれた。

次の電車が近づいてきた。もう一度、薄雪を被った比叡山を振り返った。

まるでそれは、巨大な僧兵が白い布を被り、逢坂を睨みつけているようであった。

第3章

なぜ頼朝は鎌倉に幕府を開いたか

日本史上最も狭く小さな首都

源頼朝は日本社会で初めて武士社会の権力を確立した武士団の頭目として知られている。しかし、頼朝ほど分かり難い歴史的指導者はいない。その頼朝の分かり難さは、鎌倉に閉じこもった一点にある。

宿敵の平家を完膚《かんぷ》なきまでに破り、完全な権力を握り、征夷大将軍に任命されたにもかかわらず、頼朝は幕府を鎌倉に構え、そこに閉じこもってしまった。当時、朝廷の京都から見れば、箱根を越えた東は文化が届かない地の果てであった。

歴史家たちは、頼朝が鎌倉に構えた理由を、平家の残党に対して鎌倉で守りを固めたからだという。しかし、平家は壇ノ浦の戦いで壊滅しており、源氏に向かって反撃できないことは明らかだった。それなのに、この鎌倉に閉じこもるように守りを固めたのは度を越している。

頼朝は何を恐れていたのだろうか？

頼朝が恐れていたことを、平安京と鎌倉の都市の比較で考えると、新しい歴史の物語が生まれていく。その物語は、都市の興亡とインフラとの切っても切れない関係である。

20年ぶりに友人と鎌倉へ行った。市内ではなく、市内と海を見下ろす山の上へ行ったのだ。

車を降りて山頂へ向かって歩いている間、小道を覆う常緑樹の濃さに圧倒されていた。この森を抜けて市内まで行けと言われたら躊躇する。それほどこの鎌倉の山の木々の密度は濃かった。

鎌倉が軍事防衛上優れていたのは、周囲を幾重にも取り巻く山々の地形だけではなく、この密集する常緑樹の濃さだったことに改めて気がついた。

鎌倉の疑問

山頂で湘南の友人が鎌倉の説明をしてくれた。頼朝の鎌倉幕府にとくに興味はなかったが、その中で「頼朝が自由に行き来していた三浦半島から房総半島」という言葉が気になった。

頼朝は伊豆の島に流されていたはずだ。その頼朝が島を抜け出して、自由に三浦半島や房総半島を行き来できたのか？

その友人はいい加減なことを言う性格ではない。気になったので頼朝を調べてみることにした。私は以前から、頼朝に関してもやもやとした疑問を持っていたのだ。

1159年、平治の乱で頼朝の父、源義朝は平清盛に敗北し、東へ落ち延びる途中で殺されてしまった。頼朝も捕えられたが命だけは助けられ伊豆へ島流しにされた。

成人した頼朝は平家に対して兵を挙げた。弟の源義経などの活躍によって平家を破り「いい国つくろう頼朝さん」の1192年、征夷大将軍に任じられ初めての武士の政権、鎌倉幕府を開設した。そしてその7年後に落馬して死んでしまう。

これが源頼朝に関して学校で習ったことで、私の知識もこれがすべてであった。

私は源頼朝に魅力を感じていなかった。頼朝は猜疑心の強い男で、戦場の武勇伝もない。平家壊滅に貢献した弟の義経を信用せず、謀略で抹殺してしまった。頼朝については そのような平板な知識しか持っていなかったため、ふっと頭に浮かんでいた疑問も曖昧にしたまま放っておいた。その疑問とは、

「何故、頼朝は鎌倉に幕府を開いたのだろうか?」であった。

✣──伊豆の小島

帰京して図書館やインターネットで頼朝と鎌倉幕府について調べてみた。その結果、頼朝の島流しに関して、私は40年近く驚くべき誤解をしていたことを知った。

源頼朝は幼少の頃「伊豆の島」に流されていた。このことは学校の歴史で習ったし、手元の本にもそう書かれている。

その島は伊豆諸島のどこかの島だろうと勝手に思い込んでいた。太平洋に浮かぶ遠い離島というイメージである。それ以上深く考えもしなかった。

しかし、それはとんでもない間違いであった。

頼朝が配流《はいる》された伊豆の島は「蛭ケ小島《ひるがこじま》」という名前であった。たしかにその名前には「小島」とある。そして、その小島がある町は韮山町《にらやま》とあった。

韮山町？

気になったので地図で調べた。なんと韮山町は伊豆半島の中央にあった。

私は次の休日に伊豆へ車を飛ばした。

東名の沼津インターを出て136号線に入る。その136号線を南へ約20分間走ると狩野川にぶつかるが、その狩野川の手前に韮山という町がある。この韮山町の道路横に「ようこそ頼朝の地、韮山町へ」という看板があった。

間違いなく頼朝が配流されていたのはこの韮山町だったのだ。「蛭ヶ小島」というのは韮山町の地先名であった。

海に浮かぶ小島どころではない！　ここは緑の山々が迫る伊豆半島の内陸である。私は「そうだったのか」と声に出して、緑豊かな周囲の山々を見廻した。

伊豆半島を南から北へ貫流する狩野川は昔から乱流していた。その狩野川の乱流によって数多くの中洲が形成され、その中洲の名残から地名には大蛭、子蛭、和田島などの名前が付けられていった。いかにも蛭がいた川原の中洲を思わせる地名であるが、その一つに「蛭ヶ小島」という地名もあった。この「蛭ヶ小島」という場所は島ではない。単なる「島」が付いた地名だったのだ。

「伊豆の島へ配流になった」と聞けば誰でも伊豆諸島の一つと思ってしまう。うっかり者の私だが、この間違いに関しては私の責任ではない。頼朝は温暖で住みごこちの良い伊豆半島にいたのだ。

海上の頼朝

頼朝は14歳から34歳までの20年間、この伊豆半島の韮山町で生活した。このことに気がつくと曖昧だった頼朝のことがするするっと解けていく。

頼朝が伊豆で過ごした時期は、平家の全盛期であった。平家でなければ人ではない、と言われた時代である。特に、平家にとって源氏は唯一の敵であり、頼朝の見張りも厳しかった。頼朝は海に浮かぶ島で、さぞかし窮屈な生活をしていただろうと思っていた。しかし、この韮山町に立ってみると全く異なった頼朝の青春時代が見えてくる。

韮山町は伊豆半島の中央にある。西には沼津から駿河湾が広がり東海地方が見通せる。どうも韮山町から西側は平家の監視が厳しそうだ。

ところが、韮山町の東には伊豆と箱根の山々が屏風のように連なっている。見通しの悪い伊豆の山をひょいと越えると熱海、伊東である。その先には相模湾が広がっている。熱海、伊東から舟に乗れば陽があるうちに三浦半島に着けただろう。そ

図１　関東地方の半島

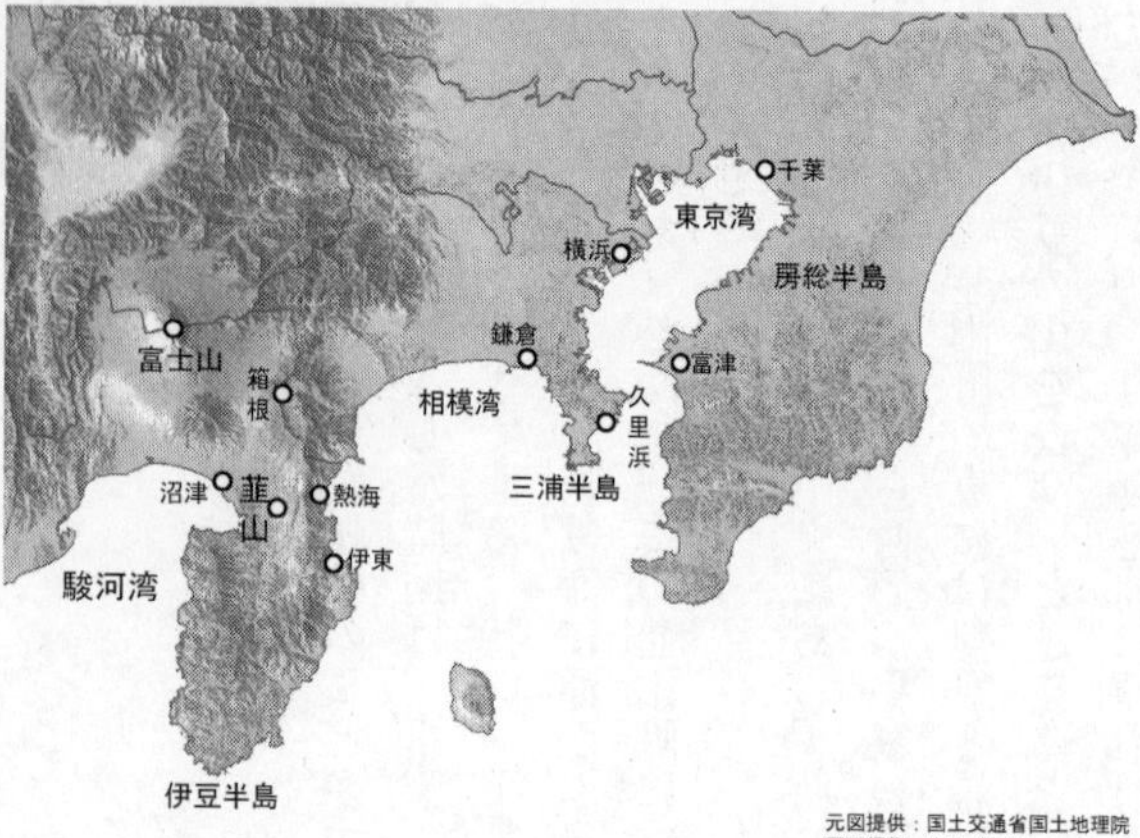

元図提供：国土交通省国土地理院
図面編集：山口 将文

の三浦半島から房総半島まではもう目と鼻の先だ。今は久里浜から富津市金谷港へフェリーが運航している。当時でも舟なら2～3時間で渡れた距離である。

伊豆の山を越えた東側は、平家の監視の目もぐっと少なくなる。鎌倉を案内してくれた友人が言っていたように、頼朝は20年間この三浦半島から房総半島を自由に行き来していたのだ。

そして、この三浦半島には豪族の三浦氏がいた。房総半島には豪族の千葉氏がいた。この両者は頼朝の決起時の盟友であり、最後まで頼朝の信頼する配下となった。それは頼朝と20年間の深くて濃密な交友があったからであろう。

頼朝は明るく温暖な伊豆、三浦、房総半島で、健康で幸せな時代を過ごしていたのだ。
図1は関東地方の半島の位置関係を示している。

鉄壁の鎌倉

1185年、源氏は壇ノ浦の戦いで平家を滅亡させた。

頼朝は武士集団の第一の頭目となった。しかし、頼朝は関東から動かなかった。1192年、征夷大将軍に任ぜられても京都へ移住せず、関東に居続けた。

なぜ、頼朝は鎌倉を本拠地としたのか？

「鎌倉が防御しやすかったから」というのは間違いない。

背後の山々が鉄壁の要塞となっている。この鎌倉に入るには切通しを通らなければならない。山々を覆う常緑樹は冬になっても落葉せず、一年中、緑が生い茂っている。軍隊のような集団が切通しを避けて森から侵入するのは不可能である。

さらに鎌倉の海も鉄壁である。

鎌倉の前面に広がるのは由比ヶ浜《ゆいがはま》という海岸である。この海岸は遠浅で安全な砂浜なので夏には家族連れで賑わう。

実はこの遠浅の浜が防御として鉄壁なのだ。当時、多くの兵士を運搬するには舟が最も有効であった。しかし、舟から兵士を運ぶ際、接岸場所が岩場なのか砂浜なのかが大問題となった。

遠浅の浜は上陸する兵士たちにとって地獄となる。なぜなら、1m以下の水深になると舟底は砂浜を突いて進めない。そのため兵士たちは海に飛び込んで進軍しなければならない。水深1mで波がある海辺を軍装備のまま歩くなどとんでもない。弓矢の格好の標的となる。兵士たちは射抜かれ放題となり、上陸する前に全滅するか、上陸してもびしょ濡れで刀を抜いて戦う状態ではなくなっている。

だから、穏やかに見える遠浅の浜は、軍事上、鉄壁の要塞なのだ。背後の山の要塞性はよく言われるが、この由比ヶ浜の遠浅が鎌倉を難攻不落にしていたことはあまり指摘されていない。

このように鎌倉は防御には優れていた。しかし、鎌倉は首都として決定的な欠陥を持っていた。

その欠陥とは土地の「狭さ」と京都からの「遠さ」であった。

頼朝の閉じこもり

鎌倉は狭い、いや異常に狭すぎる。さらに、鎌倉は朝廷の京都から離れすぎている。

日本史の中で「最も狭く小さな首都はどこか？」と問われれば、簡単に「鎌倉」と答えられる。卑弥呼の邪馬台国の地は確定されていないが、少なくともこの鎌倉より大きかったであろう。

鎌倉は狭い、そして、これ以上広くなれない土地である。それほど窮屈な地に頼朝は幕府を開設した。この鎌倉に住んだ人の数はせいぜい3万人であったという。次ページの**図2**は鎌倉幕府を空から見たイメージ図である。

また、この鎌倉は京都から遠い。単に遠いだけでなく箱根を越えてしまった。箱根を越えると関西からの情報量は格段に落ちてしまう。情報が行き来しない国の中心都市など世界の歴史でも聞いたことがない。

図２　鎌倉幕府イメージ図　マカベアキオ氏のＨＰより

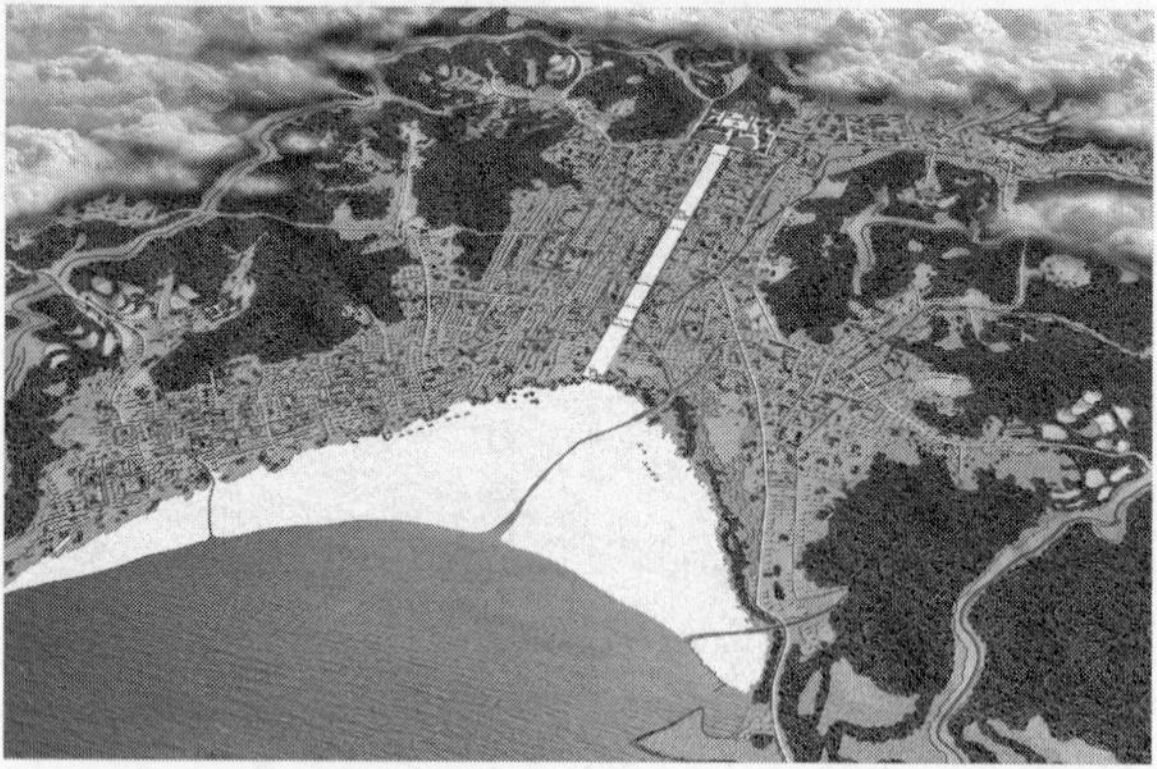

この極端に狭くて辺鄙《へんぴ》な鎌倉に頼朝は幕府を開設した。

頼朝は天下を治めるため鎌倉に構えたというより、この鎌倉という鉄壁の防御都市に閉じこもってしまった、という表現のほうが似合う。

歴史家たちは、

「平家の勢力が隠然と各地に残存していたから、鎌倉で守りを固めた」と言う。しかし、この頼朝が閉じこもった鎌倉は度を越して狭くて遠い。

私は「頼朝は鎌倉に幕府を開設した」と言ったが、実はそれは正確ではない。「鎌倉幕府」という呼び方は、江戸時代になってから生まれたのだ。鎌倉勢は自分たちを幕府とは呼んでいなかった。

頼朝は征夷大将軍に任命されたが、その称号は1603年に家康が任命された時のような圧倒的な権力の象徴ではなかった。武士集団の頭目として東の「夷」を撃つ役目を朝廷から命じられただけであった。

当時、頼朝は東方の武士集団の頭目にはなったが、天下の政権を司る気持ちなどさらさらなかったのではないか。

頼朝はあの防御都市・鎌倉に閉じこもった。まるで何かを恐れるように閉じこもった。

なぜ、頼朝は鎌倉に閉じこもったのか？

恐れる頼朝

頼朝は何を恐れていたのか？　平家の残党か？　他の豪族か？

壇ノ浦で平家は壊滅した。平家の残党は各地の僻地に散り散りに逃げ、再結集などう見ても不可能であった。平家が滅びたあと、源氏に対抗する力を持つ豪族はいない。源氏が圧倒的な軍事覇権を握っていたのは明白であった。

歴史家たちの言う「平家の残党にそなえて鎌倉で守りを固めた」ではどうも腑に落ちない。

もし、どうしても軍事上の理由なら、頼朝が生涯を通して信頼した三浦氏の三浦半島と千葉氏の房総半島に挟まれる範囲が最適である。それは今の京浜、京葉地帯である。この地方には横浜の丘や川崎多摩の台地や千葉の台地がある。これらの地は鎌倉より広くて、交通の便がいい。戦うための兵力の増強ができ、稲作という富の蓄積ができ、天下統治の情報を入手でき、制海権のための戦略港湾がある。これらの地は鎌倉よりはるかに有利である。

20年間の生活で頼朝は関東地方を知り尽くしていた。このことを知った上で頼朝はわざわざ山と海で囲まれた一番狭い鎌倉を選んだ。

権力を握った者がどこを本拠地としたかは、興味ある歴史のテーマだ。その本拠地を見れば、その権力者が何を考えていたかうかがい知れる。さらに、その権力者の本拠地を見る場合、その前の権力者の本拠地を見るとよい。なぜなら、新しい権力者はそれ以前の権力者の本拠地を見詰めて何かを学んでいるはずである。

頼朝にとって前の権力者は平家であった。その平家の本拠地は京都であった。頼朝はその京都を避け、鎌倉を本拠地とした。鎌倉を考える手立てとしては、それ以前の平家の拠点、京都を考えるとよさそうだ。

歴史家たちは頼朝が京都を避けた理由を、「頼朝は朝廷との癒着を嫌った。京都にいると朝廷の手練手管に陥る。だから京都を嫌って鎌倉にした」とも言う。

しかし、頼朝は何人もの血を流して権力を奪い取った現実主義者である。その頼朝がそのような情緒的な理由で京都を嫌ったのだろうか。この説は私の胸にストンと落ちない。この説が厄介なのは反論したくてもできないことである。頼朝の心の中の話なので証拠もないかわりに、それは間違いだと指摘することもできない。

私は地形と気象とインフラの視点から具体的に考えていく。

平安京の秘密

インフラの視点から見ると頼朝が京都を嫌った理由は明快だ。

「京都は劣悪な衛生状態だった。頼朝は手が付けられないほど不衛生な京都を嫌った」のである。

７９４年、桓武天皇は京都に平安京を建設した。唐の長安を模した東西４・２km、南北４・９kmの人工都市である。この平安京には何人が住んでいたのか。

この平安京には数知れない人々が流れ込んでいた。武士、商人、職人そして職のない流人たちである。京都へ来ればどうにかなるという思いで各地から人々が集まる。この現象は止めようがなく、どの時代でも、どの国でも共通している。それが首都の共通した現象なのだ。

文献によって差はあるが、この平安京には20万人はいたようだ。この平安京の人口密度を出してみよう。

平安京の周辺でどの範囲まで人々が住んでいたかははっきりしない。京都盆地の大きさや鴨川、桂川の位置を考えて、平安京の２倍の範囲に居住地が広がっていたと仮定する。そうして計算すると人口密度は１km²当たり４９００人となる。この人口密度は極めて高い。現在の東京都の人口密度は５５００人、大阪府でも４７００人である。

鎌倉に幕府が開府された時期、平安京は建設されて400年近く経っていた。その平安京には膨大な人が流れ込んで、都の周辺はスラム化し、衛生環境は悲惨な状態となっていたのだ。

現在の東京や大阪も超過密であるが、それを支えるインフラはしっかりしている。水道や下水道の普及率はほぼ100%で、区画整理や住宅供給もされている。しかし、平安京には水道も下水道もなかった。平安京の人々の水道は鴨川であり、その鴨川は下水道でもあった。いや、その鴨川は下水道どころかゴミ処理場であり、遺体放棄場にもなっていた。

周囲の山々の木は燃料として次々に伐採され、山は荒れ放題となっていた。燃料や居住で年間一人当たり10～20本の立木が必要であった。平安京の人口を20万人とすれば、少なくとも年間200万本の立木が伐採されていたことになる。400年経った平安京の周囲の山々は丸裸になり、雨が降るたびに出水と土砂流出で悩まされた。

このスラム化した平安京には、疫病が毎年のように蔓延した。天然痘、コレラ、赤痢、咳病によって多くの死者が出て、鴨川は遺体の山となっていた。

鴨長明の『方丈記』でも、疫病で4万2300人の死者が出た、と記されている。20万人規模の都市で4万人の死者というのはただ事ではない。平安京の衛生状態は劣悪を極めていたことがわかる。あの優雅な祇園祭も、もともとは疫病払いから始まった。

疫病という敵

若き頼朝は伊豆半島から三浦半島、房総半島を行き来して育った。舟上で潮風に当たり、肌は黒く日焼けして、伊豆や箱根の山に登り足腰を鍛えていた。新鮮な海の幸、山の幸を食べ、三浦氏や千葉氏と酒を酌み交わし、恋をして、温泉に浸かり心身を養生していた。

頼朝はこの健康的な生活を20年間も過ごしていた。単なる20年間ではない、14歳から34歳という最も多感で人格形成上決定的な時期を、この温暖で太陽の降り注ぐ地で過ごしたのだ。

頼朝は心身共に根っからの湘南ボーイだったのだ。

その頼朝は京都の不衛生な惨状を見聞して眉をひそめた。疫病が蔓延し、死体の腐臭がただよう不健康な京都。飲み水も、食べ物も、鼻から吸う空気でさえ危険な京都。この不潔で疫病が蔓延する京都を頼朝は恐れた。

頼朝の命を脅かす疫病は頼朝の「敵」となった。この疫病という敵は目に見えず、軍事力や富や情報力で打ち負かすことができない。

疫病を恐れた頼朝は鉄壁の防御都市・鎌倉に閉じこもることにした。

この鎌倉の防御性は餓《う》えた流民の流入を阻止するためであった。一人として流民を入れず、一人として人間を増やさない。決して鎌倉を不衛生に陥らせない。そのため鎌倉は狭くてよい、広がる必要もない。その狭い鎌倉を徹底的に不衛生から守ってみせる。それが鎌倉という都市であった。

鎌倉は戦闘の要塞としての条件を備えてもいたが、少人数の人々が存続していくすべてのインフラを備えてもいた。

鎌倉の山々は清冽《せいれつ》な湧水を与えてくれた。豊かな森は山の幸と燃料を与えてくれた。広大な海は海の幸を与えてくれた。さらに、浜に打ち寄せる波はすべての汚物を浄化してくれた。

この鎌倉では3万人の人々が憂いなく住むことができた。

「安全」と「水」と「食糧」と「エネルギー」と「清潔」を与えてくれる鎌倉、その鎌倉に頼朝は閉じこもったのだ。

❖──謀殺された頼朝

平家は京都に構えて権威と権力を掌握した。

頼朝は権力を手にしたが、京都に乗り込み権威を手中にしようとはしなかった。頼朝は膨張しない安全で清潔な鎌倉に閉じこもった。朝廷から授かった征夷大将軍という名称さえうっとうしく思っていたかもしれない。

しかし、その頼朝の閉じこもりも長くは続かなかった。1199年、頼朝は原因不明のまま死んだ。落馬となっているが、私の頼朝の閉じこもり説から見れば謀殺以外には考えられない。

誰に殺されたのか？　犯人ははっきりしている。鎌倉の武士たちの膨張する権力欲である。

頼朝が望んだ閉じこもりの世界など、膨張する権力欲に一気に押しつぶされてしまう。武士の世界を制覇した鎌倉勢にとって、頼朝はあまりにも閉じこもった総大将であった。閉じこもる総大将は膨張する武士集団にとっては邪魔となる。誰が暗殺したのかは些細なことだ。

飽くことなく膨張しようとする集団が頼朝を押しつぶしたのだ。その後、武士集団は権威の京都を目指して膨張し、ついには戦国時代へと突入していくこととなる。

権威の京都から武士権力が真に独立するのは、家康の登場を待たなければならなかった。それまでの間、400年の歳月と膨大な屍が必要であった。

徳川家康ほど歴史や先人に学んでいる武将もいない。豊臣秀吉は信長の猿真似をしたと言われているが、それどころでない。家康は信長に学び、秀吉に学び、さらに、この頼朝にも学んでいる。

頼朝に学んだものは、権威と権力の分離であった。つまり、京都から遠く離れた江戸での権力樹立であり、それは頼朝の鎌倉という前例に学んだ。

権威者は権力を振るわず、権力者は権威を転覆しない「権威と権力の分離」が家康によって成し遂げられた。

140年前の幕末、日本は封建社会から国民国家へ大転換した。流血の革命を経ずして、この大転換をやり遂げた秘密は「権力と権威の分離」にあった。

その原点は頼朝であった。あの安全で衛生的な都市・鎌倉に閉じこもった湘南ボーイ頼朝の個人的な資質が、世界でも例のない「権威と権力の分離」という日本独特の社会体制のきっかけを作った。

第4章

元寇が失敗に終わった本当の理由とは何か

日本の危機を救った「泥」の土地

世界史で多くの文明が誕生し、滅んでいった。米国の国際政治学者の故・サミュエル・ハンチントンは「世界史で生き残った文明は5つある。欧米文明、イスラム文明、中国文明、インド文明そして日本文明」としている。

これらの文明の中で歴史上、一度も侵略されず生き残った文明が日本文明である。

13世紀、日本は侵略される寸前の状況に陥った。広大なユーラシア大陸を制覇したモンゴル帝国によってであった。その二度に渡る元寇で、日本はモンゴル軍をどうにか撃退した。

なぜ、世界最強無敵のモンゴル軍は日本侵略に失敗したのか？

多くの歴史家たちが、この元寇の戦いを調べ分析して一致している結論は、モンゴル軍の船団は嵐に襲われ壊滅した、ということだ。

直接の原因は、嵐という気象であった。気象は人文社会的テーマではないので紛れがない。では、なぜモンゴル軍はそれほど簡単に嵐で壊滅してしまったのか。このような問いかけをしている人は少ない。この問いかけへの答えは、戦場の地形を見詰めることにより簡単に解けていく。

中国政府との国際会議が終わっての帰路、北京空港で時間があった。空港の本屋を歩いていると、『絵画中華文明史』という本が目についた。石器時代から現在までの中国文明史の子供向け絵本であった。ぱらぱらめくってみると、北京語など分からなくても十分面白かった。

その中の一枚で手は止まり、目が釘付けになってしまった。13〜14世紀のモンゴル、ジンギスカンの進軍の絵であった。その本を購入して搭乗口へ向かった。

成田への機中、このページを何度も何度も見詰めた。私はほっと安堵すると同時に、再びある考えにとらわれていった。

車文明が空白の日本

紀元前、ローマ帝国はアッピア街道という壮大な道路インフラを整備し、4頭立ての牛車を乗りこなし、街道を疾走していた。

その後、西欧文明の発展は道路ネットワークに支えられた。各地の都市は必ず道路ネットワーク上にあり、人と物の交流が行われた。蒸気機関が世に登場するまでの2000年以上、街道の交流を支えた動力は牛と馬であった。

その間、車体は乗り心地の良いように改良された。スプリングが発明され、サスペンションも改良され、幌《ほろ》も付け、椅子も座り心地が良くなった。車は西欧文明の原動力であった。

その車を支えたインフラの道路網が発達するのは当然であった。西欧社会の20世紀の車文明は、2000年の時間をかけて準備されていたのだ。

それに対し、日本は車を進化させず、1000年以上の道路整備の空白を生じさせた。

なぜ、日本人は車文明を構築できなかったのか？　なぜ、日本の道路整備は遅れたのか？

その謎に対して、梅棹忠夫氏の言葉「日本人は家畜を去勢しなかった」と出会って、私はある仮説を立てていった。

牛馬を家族にした日本人

弥生時代以降、大陸からさまざまな文明の産物が海を渡ってきた。そのなかには当然、牛車も入っていた。

ローマ人や中国人など大陸の民族は牛や馬に去勢を施し、動力として徹底的に制御していた。当然、日本にも去勢技術は入ってきたが、日本人は馬や牛に去勢を施さなかった。

日本人は牛や馬に名前を与え、家族同様に扱ってしまった。家族であれば去勢を施さないのは当然であった。

去勢しない牛が引く牛車は、人ごみの中では危険極まりない。平安絵巻に出てくる牛車のうち3分の1が、暴走している場面となっている。

次ページの**写真1**のように、たった1頭の牛を6人の車副《くるまぞい》でやっと制している絵もある。

平安時代の絵巻に登場した牛車は、江戸図屏風からは消え、影も形もなくなって

写真1　《年中行事絵巻》(一部)

所蔵:田中家　写真提供:中央公論新社

いる。日本人は牛や馬を動力として制御することに失敗した。動力のない車は、日本文明の中心から消え去っていった。車が消え去れば、道路整備も行われることはない。

牛馬に去勢を施さない日本人の文化が、1000年の車文明の空白と道路の未整備の原因となった。これが私の仮説であった(『日本文明の謎を解く』清流出版、2003年12月)。

牛馬を制御する民族

実は、この仮説には不安な点が一つあった。

日本国内の牛車については、できるかぎり調べた。しかし、ヨーロッパ大陸や中国大陸の民族と牛馬との関係は、調べることができなかった。わずかな伝聞と知識で「彼らは牛馬を去勢し、完全に制御して、車の動力として利用した」と断言したことであった。

この不安は心の奥底のどこかに潜んでいたのだろう。北京空港でこの絵を見た時、その思いがすーっと浮かび上がってきた。

次ページの**写真2**がその絵である。この絵のモンゴル軍の進軍の迫力は凄まじい。横一列に11頭の牛が並び、それが前後2列、合計22頭の牛の群れがジンギスカンの指令所のパオを引いている。その牛群を制御しているのは、鞭を持ったった2名の人間だ。周囲には騎馬軍団が槍を持って整然と進軍している。日本人にとっては想モンゴル軍は、このような大群の牛を完全に制御していた。日本人にとっては想像もできない光景である。

この絵で確信した。やはり、大陸の民族と日本人とでは、牛馬への姿勢が異なっていた。彼らは牛馬を徹底的に制御し、車の動力とした。

その彼らの文化が車文明を生み、街道を誕生させていった。私の仮説は正しかかっ

写真２　『絵画中華文明史』より

絵画:邵学海　湖北教育出版社刊

た。

この絵を見て安堵したのは、このような理由からだった。

しかし、その安堵はほんの2、3分であった。この絵はあまりにも強烈で、私の脳に強い刺激を与えていた。

大陸の暴力

この絵から、北方騎馬民族の暴力が直接的に伝わってくる。

北の大地で飢えが広がると、北方騎馬民族は一気に南下していった。この騎馬軍団が猛烈な勢いで攻め込めば、逃げるところなどない。すべてが焼き払われ、虐殺と強奪が行われた。

侵略される側の中国人の恐怖が、痛いほど理解できる。壮大な万里の長城を建造した中国人の原動力は、この暴力への恐怖だったのだ。

それに対し、日本は暴力で侵略されたことはなかった。大陸でさまざまな暴力が発生し、侵略と支配が繰り返されたが、日本文明だけは侵略されなかった。

日本文明が侵略されなかった理由は、はっきりしている。日本は島だったからだ。

日本列島は大陸の暴力から、地理的に離れていた。大陸から一番近い対馬海峡でも、その距離は200㎞ある。さらに、その対馬海峡には速い海流が流れ、容易に大陸から大軍隊を送ることはできない。

13世紀、モンゴル軍を紙一重のところで防いだのは、この海峡のおかげであった。

私はそう考え、文章にもした。しかし、それは少し表面的であった。

このモンゴル軍の絵を見ていると、大陸と日本の別の物語が生まれてきたのだ。

進軍できないモンゴル軍

文永の役(1274年)、弘安の役(1281年)で来襲したモンゴル軍は、昼間は上陸して戦った。しかし、夜になると船に帰り、船上で寝泊まりしていた。そのため、嵐が襲ってきた時、船もろとも兵士たちは海の藻屑と消えた。これが致命傷になり、モンゴル軍は敗退することとなった。

『逆《さかさ》・日本史』の歴史家の故・樋口清之氏はその理由を「やぶ蚊」としている。つまり、乾燥したユーラシア大陸奥地にやぶ蚊はいない。モンゴル軍にとって日本のやぶ蚊は初めての経験で、それに耐えられず船上で寝泊まりしていた。勇猛なモンゴル軍がやぶ蚊に弱かった、という樋口先生らしいユーモア溢れる解釈である。

しかし、**写真2**のモンゴル軍を見ていると、彼らの日本国内での深刻な混迷が読み取れる。

モンゴル軍の圧倒的強みは、大地を縦横無尽に走り回る騎馬軍団と牛車群である。そのモンゴル軍は、日本で牛馬の動力を奪われていたのだ。兵士と物資を戦闘の前線に運ぶ牛車群と、敵陣に突進していく騎馬軍団が麻痺していたのだ。
牛車群と騎馬軍団が活躍できるのは、縦横無尽に走り回る大地があっての話だ。
日本のどこにその大地があったのか？
写真2のように牛車群のモンゴル軍が進撃する乾いた大地など日本にはなかった。
日本にはぬかるんだ「泥」の土地が広がっているだけだった。

泥と緑の国土

日本列島にも平らな土地はあった。しかし、その平らな土地はかつては海の下か湖の下であった。

日本列島の山々の地質は脆《もろ》く、雨が降れば斜面はすぐに崩れ、川に土砂が流出していった。土砂は川によって運ばれ、河口や窪地で堆積し、平らな沖積平野となっていった。その沖積平野は水はけが悪い。少しでも雨が降れば、ぬかるんだ泥の土地となってしまう。

モンスーンの多雨気候の日本、その日本の平らな土地は水はけの悪い湿地帯であった。モンゴル軍は福岡に攻め入った。その福岡も水はけの悪い土地で、モンゴル軍は泥にはまってしまった。牛馬で突進する獰猛《どうもう》なモンゴル軍は、間のぬけた亀になってしまった。

福岡にも乾いた土地はあった。しかし、そこは起伏の激しい丘と山であった。さらに、その丘や山には木々の「緑」が茂っていた。草原と土漠が延々と続くモンゴルでは経験したことのない緑であった。その鬱蒼と茂った木々の緑が、モンゴル軍の動きを阻んだ。

日本のサムライたちは丘の陰から不意を突き、緑の藪の中から突然襲ってきた。

そして、サムライたちは、泥のあぜ道を蟻のようにすばしっこく走り回った。

牛と馬の動力を奪われ途方に暮れたモンゴル軍は、船上に寝泊まりせざるを得なかった。

これが、日本の気象と地形から見たモンゴル軍敗退の物語であった。

モンゴル軍だけではない。日本人も陸をあきらめ海に移動した。

その理由もやはり「泥」であった。

図1　東海道五十三次

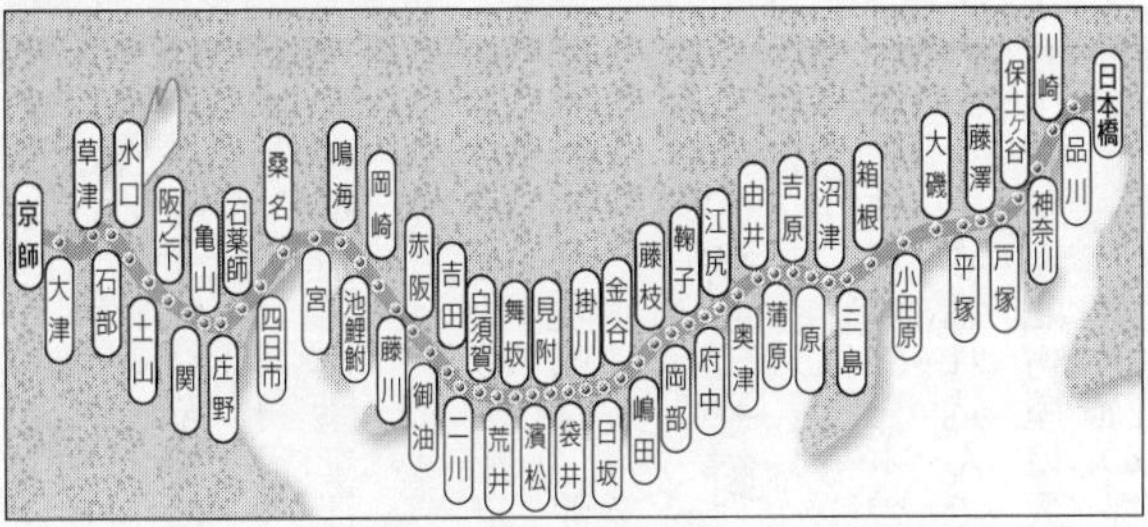

海路の東海道

江戸時代、江戸と京都を結ぶ東海道が制定された。宿場も品川から大津までの五十三次となった。

宿場は参勤交代のために整備され、大名が泊まる本陣と、人足と馬を手配する問屋場《といやば》が設けられた。街道と宿場の整備とともに、東海道は庶民にも利用され、江戸文化の交流の動脈となっていった。

この東海道はあくまでも人が歩く街道であり、牛車や騎馬が疾走する道路ではなかった。ルートも目的地への最短距離ではなく、大雨が降っても浸水しにくいよう、微高地形を利用して曲がりくねっていた。

この東海道で海路で結ばれている宿場があった。41番目の「宮」から42番目の「桑名」の間であった。熱田神宮がある宮から桑名までの海上距離は七里（約28㎞）あったので、七里の渡しとも呼ばれた。前ページの**図1**は東海道の宿場図を表わしている。

では、なぜ、江戸幕府は名古屋から岐阜、関ヶ原、琵琶湖のコースではなく、宮から桑名への海上ルートを設定したのか。

御三家の尾張名古屋を迂回させるためとか、熱田神宮や伊勢神宮へ便利だったためといわれている。筆者は政治的・社会的理由を検証することはできない。しかし、地形の観点からは断定できることがある。

海路をとった理由は、泥の濃尾平野を越えられなかったからだ。

泥の濃尾平野

この濃尾地方には、木曽川、長良川そして揖斐《いび》川という3本の大河川が中部山岳地帯の雨を集め流れ込んでいた。

1610年、名古屋に入城した徳川義直は、木曽川である工事を行った。木曽川の東側つまり左岸48㎞の堤防を、右岸より高くする工事であった。尾張地方を守る

図2　輪中分布図

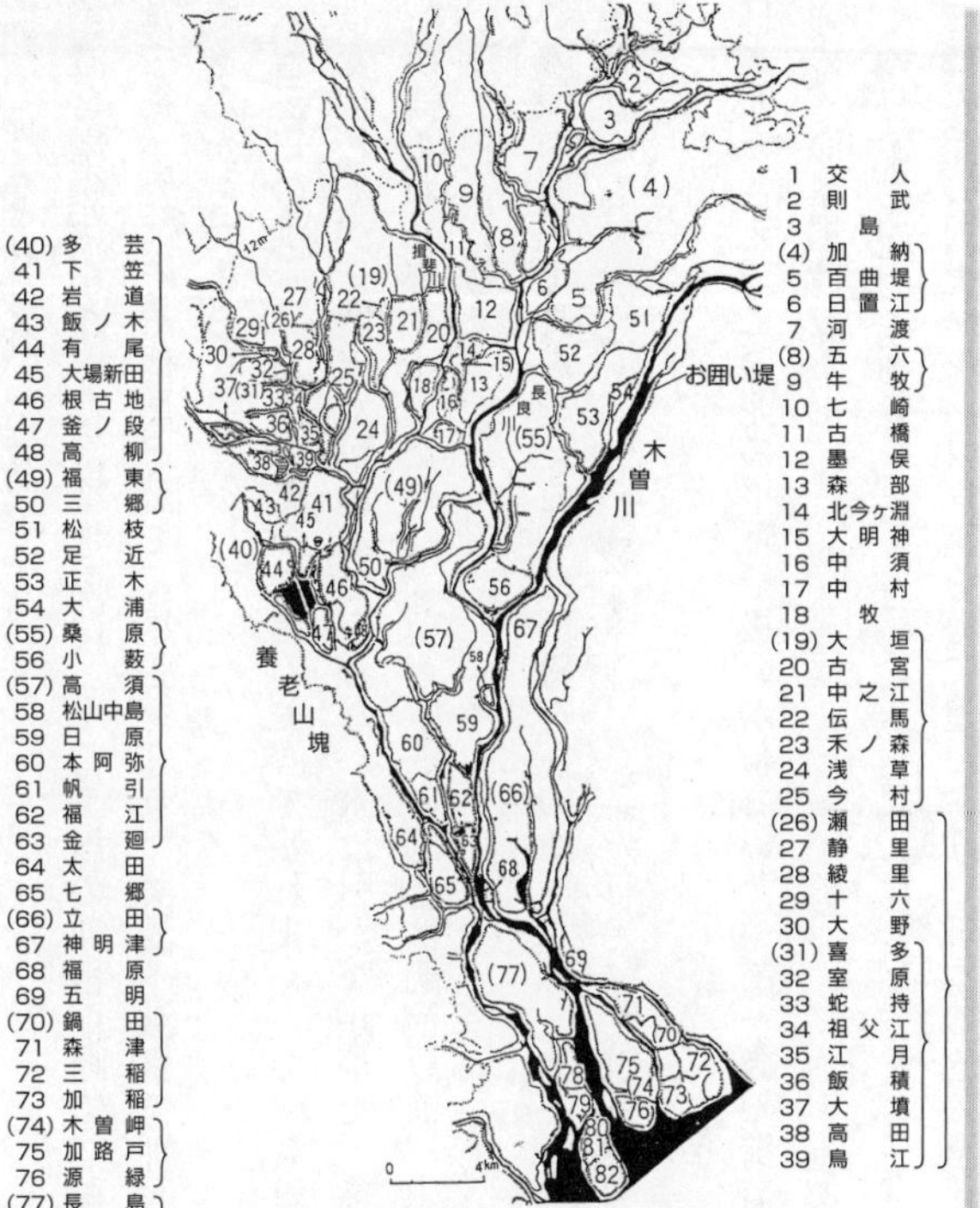

番号に(　)をつけてあるのは、明治初年現在を示し、輪中名をくくってある } は複合輪中の範囲を示す。ただし、このうち(31)喜多輪中は大正7年に、(26)瀬田輪中は昭和3年成立。

出典:安藤萬壽男編「輪中—その展開と構造」
(平成4年「長良川河口堰に関する技術報告」建設省河川局・建設省土木研究所・水資源開発公団)

「お囲い堤」と呼ばれる堤防である。

美濃と尾張にまたがる濃尾地方は、木曽三川の沖積平野で、極めて水はけの悪い土地であった。その濃尾平野で、尾張を守り、美濃へ洪水を押しやる「お囲い堤」ができたからたまらない。

木曽三川の洪水はお囲い堤の西側の美濃で暴れまくった。大雨のたびに出水で流路は変化して、一度出水があるとなかなか水は引かなかった。途方もない規模の湿地帯が横たわってしまったのだ。前ページの**図2**は明治以前、木曽三川が乱流していたことを示す地図である。

この泥の濃尾平野を越えるのは困難を極めた。

東海道ルートがこの一帯を避け、宮から桑名への海路を選んだのは当然であった。

日本人でさえ、この泥の平野を扱いかねていた。第一級の街道の東海道でさえ陸を諦め、海へ逃げたのだ。

その日本の泥の土地を、モンゴル軍が自由に駆け巡ることなどできるわけがない。この泥の国土がモンゴル軍を海に追いやり、日本の危機を救った。

8世紀前の日本とベトナムの共同戦線

2013年、ベトナム政府の招聘を受けハノイを訪問した。日本の治水の考え方をベトナム行政幹部に講演し、それをもとに将来のベトナムの国土のあり方について議論するためであった。

ベトナムに関する知識はベトナム戦争程度しかなかったため、事前にベトナムの歴史や社会制度を勉強せざるを得なかった。そこで、初めてベトナムとモンゴルとの激しい戦いを知った。

かつてモンゴルと地続きだったベトナムは、1250年代よりモンゴルの攻撃を受けていた。日本の文永の役、弘安の役のちょうどその時期、ベトナムではモンゴルとの第2次戦争が展開されていた。ベトナム人はモンゴル軍に対して果敢なゲリラ戦で戦い、第1次戦争に続いてモンゴル軍を撤退させた。

ベトナムが決定的な勝利を収めたのが、第3次戦争の1288年のバックダン川(白籐江《はくとうこう》)の戦いであった。

モンゴル軍は陸の補給として巨大船団をバックダン川へ投入した。ベトナムの英雄、指揮官の陳興堂《ちんこうどう》は、干潮時に浅くなる河口一帯に木杭を何本も打ち込んだ。そして、満潮時にモンゴルの巨大船団を誘い込んだ。満潮時には水深があったが、干潮時にはその木杭に阻まれモンゴル船団は立ち往生してしまった。そこを狙ってベトナム軍はゲリラ戦を仕掛け、巨大船団に火を放ち、完膚なきまでに叩きのめした。

この戦いはベトナム人が心から誇る戦史である。ベトナムの博物館でも誇らしげに絵画や木杭の一部が展示されていた。

この戦史で一つ腑に落ちない点がある。

それは、満潮時に大船団を引き込み、干潮時に大船団を動かせなくする点であった。それほど都合よく大船団を誘導できるか、という疑問である。

しかし、その推理はそれほど難しくない。東シナ海を自由に行き来する海洋民族の存在である。

モンゴルは強力な騎馬軍団であり、海には無知であった。船団と船員は朝鮮半島沿岸や対馬諸島で徴用せざるを得なかった。その船員たちは東シナ海に面して生きてきた人々であった。当時の朝鮮半島沿岸、対馬、九州北部沿岸、沖縄諸島、ベトナム沿岸の海に国境などはない。その朝鮮半島沿岸や対馬の海洋の仲間が、モンゴルに蹂躙《じゅうりん》されていた。

東シナ海沿岸一帯の人々は、密かにモンゴル軍への反撃を狙っていた。モンゴル船団を操縦していた彼らは、上手に満潮の白籐江に船団を引き入れ、干潮時に船団が身動きを取れないようにした。それが白籐江の戦いであった。

モンゴル軍はこの白籐江の敗戦で、ベトナム進攻と日本への第3次進攻を断念せざるを得なかった。

13世紀の日本とベトナムは、海を介して共同戦線を張って、世界最強のモンゴル軍にからくも勝利したのだ。

第5章

半蔵門は本当に裏門だったのか

徳川幕府百年の復讐①

1590年、豊臣秀吉の転封命令で徳川家康が初めて江戸入りした際に随行していた武将の一人に、服部半蔵がいた。その服部半蔵が居を構えた近くの門が「半蔵門」と呼ばれるようになった。

この半蔵門は江戸城の裏口で、いざという時に将軍が逃げ出す非常用の門といわれている。たしかに、半蔵門は華やかな日比谷や大手町側の二重橋や大手門のちょうど反対側に位置している。「半蔵」という名前が秘密めいた忍者を思い出させることもある。半蔵門は甲州街道、つまり新宿通りに直結していて、裏口の脱出口としても分かりやすい。

しかし、半蔵門を裏口とすると、地形的に理解できないことが次々と出てきてしまう。二重橋や大手門はかつて日比谷の海で、雨が少しでも降ればぬかるんでしまう低地であったこと。新宿通りの左右側は谷地形に落ち込み、この新宿通りは地形的に安全な尾根道であること。これらのことから、半蔵門は裏口ではなく正門であったという推理をした。

これは江戸城の地形のほんの軽い気持ちの推理ゲームであった。ところが、この推理ゲームから、江戸時代の最大の謎「忠臣蔵」の闇に誘い込まれてしまった。

既視感

皇居に近い千代田区麴町の事務所に勤務している時には、ぶらぶらとお堀端をよく散歩していた。

桜が満開の昼休み、皇居の西側に位置する半蔵門を眺めながら歩いていると急にある「既視感」に包まれた。

普段の半蔵門は人通りが少ない。皇居周回のランナーがたまに通り過ぎるだけで、半蔵門の警官たちも手持ち無沙汰の様子である。

ところが、桜の季節になるとこの付近の様子は一変する。

昼休みにお弁当を持ったビジネスマンやOLが半蔵門に向かう。霞ヶ関から公務員たちが、麴町や平河町からはビジネスマンたちが楽しそうに歩いて行く。彼らは半蔵門の先の千鳥ヶ淵公園で弁当を広げ一時のお花見をするのだ。

私はその日、最高裁判所から半蔵門に向かって内堀の坂を歩いていた。

その時「あれ！　この光景はどこかで見たことがある」という既視感に包まれていた。

先月とか去年の記憶ではない。深い記憶の底からすーっと浮かび上がってきた不確かでとりとめのない感覚であった。

間違いなくどこかで経験した光景だがどうしても思い出せない。頭を一振りして事務所へ戻った。

広重の絵

それから2週間たったころ、銀座の教文館ギャラリーで「広重『名所江戸百景』展」が開催された。日曜日、いそいそと銀座へ出かけた。

広重は何時見ても楽しい。江戸の風景と庶民生活が世界でも類のない構図で描かれている。広重の119点の浮世絵を順に見ているうちに《糀町一丁目山王祭ねり込み》の前にきた。

ふっと、足がそこで止まった。

そーか！　これだった。

２週間前の半蔵門で感じた既視感はこれだった。記憶の底から浮かび上がってきたのはこの広重の絵だった。

山王祭の賑々しい祭行列が次々と半蔵門に繰り込んでいく。この構図があの昼時の楽しそうな人波とそっくりだったのだ。

この広重の《山王祭ねり込み》の記憶を現実の光景とダブらせていたのだ。あの時、自分の経験をいくら掘り返しても思い出せなかったわけだ。経験した光景ではなく、展覧会や本で何度も見ていた広重の《山王祭ねり込み》の記憶だった。

ボケたのではなかったと、一人笑いをしながら《山王祭ねり込み》を見直した。

しかし、その絵を見ているうちに、顔から笑いが消えていった。

この絵には何かがある。

改めて、腰に手をあてて《山王祭ねり込み》を凝視した。

「半蔵門の謎」が解けていく最初の瞬間であった。

半蔵門からお出になった天皇陛下

「半蔵門の謎」の芽生えは数年前にさかのぼる。

半蔵門近くで開催されたシンポジウムの帰り、千鳥ヶ淵公園から日比谷へ歩いていくこととした。

半蔵門の前を通り過ぎようとした時、警備の警察官に強く制止された。びっくりして顔を上げると、半蔵門の扉が開いてどなたかが出るところであった。

他の2、3人の通行人と立ち止まっていると、2台の乗用車がすべるように半蔵門から出てきた。何げなくその車を見ていると、2台目の窓には美智子皇后のお姿があり、その奥の天皇陛下のお姿も一瞬だが目に入った。

さらに驚いたことに、手前の皇后が私たちに向かって軽く会釈されたのだ。我々を立ち止まらせたことへのご挨拶であったのだろう。皇后に会釈されるとは思いもしなかったのであわてて頭を下げ返した。しかし、すでに車は新宿通りに向かって走り去った後だった。

思わぬ出来事にどぎまぎしたまま内堀の坂を下りていった。しかし、内堀の坂を歩きながら「何か変だな」という不思議な思いにかられていた。

その不思議な思いとは、

「何故、天皇・皇后両陛下は半蔵門からお出になったのか？」という思いであった。

しかし、まだそれはほんの軽い疑問であり、後になってこれが強い謎になるとは予想もしてなかった。

半蔵門の謎

その年の暮れ、久しぶりに友人の(元)宮内庁記者と食事をした。だいぶ飲んだ酒のおかげで、フッとあの半蔵門での出来事が浮かんできた。

私はその友人に、

「皇居の正門は何処だ？」と聞いた。

「二重橋に決まっている」

「あれは公式行事の時の門だろ、普段の時の正門は？」

「そうだな、大手門だな」

「でも、両陛下は半蔵門からお出になっていたぞ」と私は酒の勢いで強く問い詰めると、

「そうだな、そういえば両陛下は半蔵門からだな……」と彼は返事に詰まっていた。

そのやり取りで両陛下がお通りになる門は半蔵門と分かった。私のもやもやしていた疑問は強まり「謎」にまでなった。

「何故、両陛下は裏口の半蔵門から出られるのか？　何故、正門の二重橋や大手門ではないのか？」

皇居正門の二重橋は正月の一般参賀や外国賓客の訪問で利用されている。皇居にはもう一つ正式な門として皇居東御苑の大手門がある。閣僚の認証式では坂下門も使われるが、各界の要人が宮内庁へ訪問する際はこの大手門を通る。

友人がこの二つの門を皇居の正門といったのは当然であった。

半蔵門はこの二重橋と大手門の反対側に位置している。この半蔵門について江戸

専門書はどれも「半蔵門は脱出用の門」と解説している。

1590年、徳川家康が江戸入りした時に随行した武将の一人に服部半蔵がいた。服部半蔵は1582年の本能寺の変の際、堺に滞在していた家康を明智光秀の追っ手から伊賀越えで逃した。それは家康の人生で最も危険な局面であった。その時、家康は自分の命を半蔵へ完全に預けていた。

その命の恩人の半蔵がこの門の近くに住居を構えたので「半蔵門」と呼ばれるようになった。

この半蔵門は江戸城から甲州街道、つまり今の新宿通りへ通ずる門である。

この甲州街道は五街道の中で際立った特徴を持っている。

東海道、中山道、奥州道、日光街道の四街道は江戸城に直結しない。これらの四街道は江戸城を斜めに見ながら江戸市内に入る。しかし、唯一この甲州街道だけが江戸城に向かってまっすぐ配置されているのだ。

「半蔵」という名前が秘密めいた忍者を思い出させることと、甲州街道と江戸城が直結する配置から、この半蔵門は家康が脱出する際の非常用の門と解説されている。

二重橋や大手門の反対側にある門、半蔵門は脱出用の門、それはいかにも裏口のイメージである。

その裏門を天皇・皇后両陛下はお通りになる。

何故、両陛下は裏門をお通りになるのか？

これは誰かに軽々しく聞ける質問ではない。問いかける相手もいないまま、この謎は重い石のように心の中に沈んでいった。

半蔵門の土手

このような謎を抱えていた私が凝視したのは《山王祭ねり込み》の中の「半蔵門の土手」であった。

図1が広重の《山王祭ねり込み》である。

山王神社は1478年太田道灌により祀られた神社であり、徳川家も江戸城の守り神として大切に祀った。その後、明暦の大火で焼失したので赤坂に移設され、現在では日枝神社と呼ばれている。

図1　『名所江戸百景』《糀町一丁目山王祭ねり込み》(歌川広重)

資料提供:三菱東京UFJ銀行貨幣資料館

日枝神社の山王祭は江戸二大祭の一つである。徳川家との深い関係から、祭行列は江戸城内に入ることが許され、将軍の高覧を受けていた。

この広重の絵には、祭行列が江戸城に繰り込む様子が描かれている。この絵を見ていると、江戸っ子たちの楽しそうな掛け声が聞こえてくるようだ。

しかし、今まで私は、この絵の重要な部分を見落としていた。

桜満開の昼休み、半蔵門で感じた既視感は、祭行列と昼休みの人波の類似だけではなかった。

祭行列が江戸城に入る「土手」が今と同じなのだ。

写真1はその浮世絵と、全く同じ構図で取った写真である。

祭行列が堀を渡ろうとしているのは「橋」ではなく「土手」であった。

半蔵門の土手は江戸時代からあった！

現在の皇居周辺は道路建設により、かつて橋がかかっていた堀も埋められている。てっきり半蔵門も明治以降に土手になったと思い込んでいた。

敵の攻撃を防ぐのが堀の役目である。堀を渡るのは橋と決まっていた。いざという時は、橋を落とすか跳ね上げて敵を防ぐ。それは1世紀近い下剋上の戦国時代を

写真1　現在の半蔵門を望む
構図を似せるため筆者の背中を入れた

生きた大名たちの本能にもなっていた。

当時の徳川幕府がいくら強力な武力を備えていても、土手は不意打ち攻撃に対して絶対的に弱い。敵は間違いなくこの土手を攻める。それを承知で江戸幕府は半蔵門に土手を築いた。

徳川幕府はそれほどの危険を冒してまで半蔵門を土手にした。ということは、幕府はどんなことがあってもこの半蔵門は守ってみせる、という意思表示だったのではないか。

幕府の威信をかけて守る土手の半蔵門、その門が一体本当に裏門なのか？

半蔵門は本当に裏門か？

幕府が威信をかけて守った半蔵門が裏門のわけがない。半蔵門は江戸城にとって極めて重要な門であったはずだ。

では、その重要性とは緊急脱出用だったからか？　半蔵門が緊急脱出用の門であるはずがない！

土盛りの門は足場がしっかりしている。そのため敵にとっては接近しやすく攻撃しやすい。緊急脱出用の門ならわざわざ敵をおびき寄せる土盛りにするはずがない。

これに気がついてからは、時間があれば図書館や書店へ行き、江戸城に関する書籍や古地図を当たった。しかし、どの書物を読んでも「半蔵門は裏口」扱いの記述であった。

その日は出張から早めに帰京したので八重洲ブックセンターへ向かった。旅の疲

図2　江戸古地図(嘉永江戸図)　出典:古地図史料出版(株)

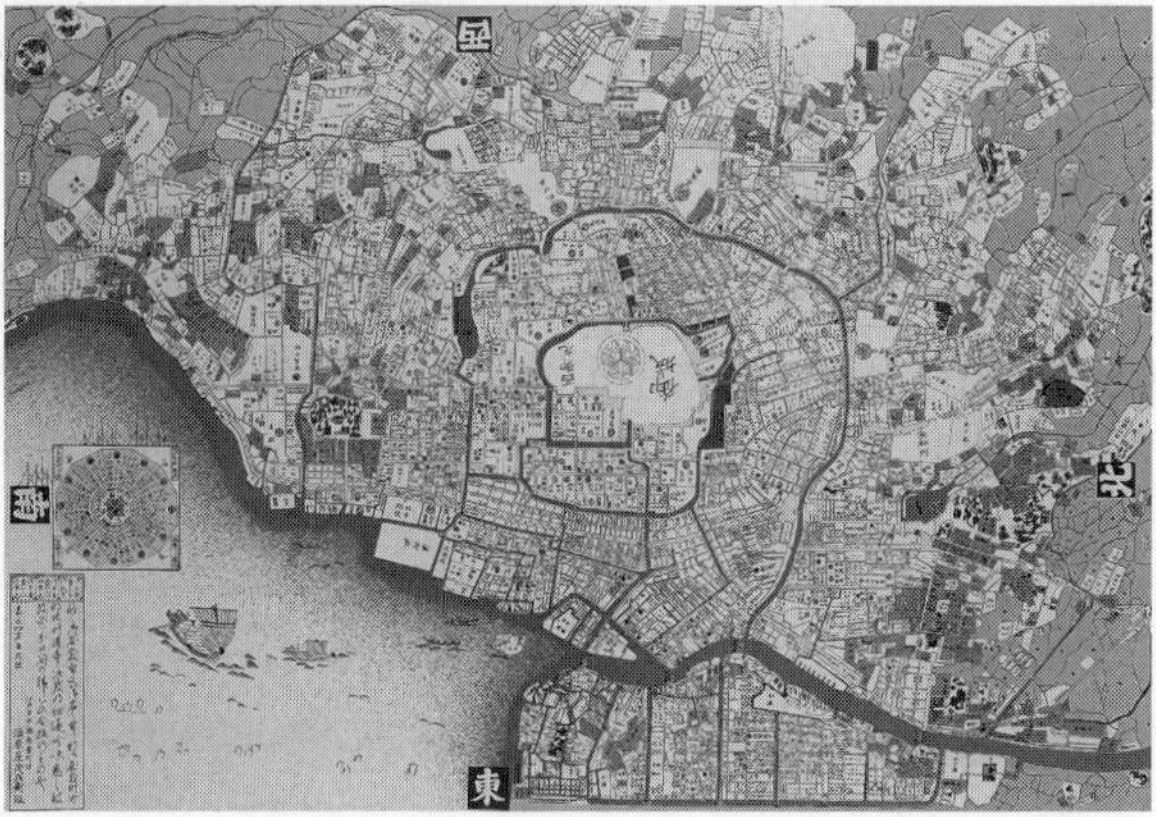

れもあり、地下の地図コーナーでしゃがみ込み江戸古地図を広げて眺めていた。

その時、妙な感覚に襲われた。八重洲ブックセンターの地下はあまり明るくない。その暗い照明のためか、目が疲れていたのか、江戸古地図の字がよく見えなくなった。

江戸古地図は極めて見にくい。現在の地図は北を上、南を下にする約束が定着しているが、江戸時代の地図は違う。場所や屋敷を表示する漢字があちらこちらの方向を向いているのだ。

江戸古地図を読む時は、地図を回転させながら読まなければならない。私は目をこすりながら、江戸古地図を回転させた。

その時突然、私の目に「御城」という字が飛び込んできた。

そう、何度も何度も見ていた江戸城の「御城」という太い字が飛び込んできたのである。

前ページの**図2**が江戸古地図である。**図3**が地図を一回転させた江戸城付近の地図である。

図2では江戸城の「御城」が逆立ちしている。しかし、**図3**では「御城」が正立している。

図3で、下から「御城」にまっすぐ向かっている街道がある。それが今の新宿通り、つまり甲州街道である。

甲州街道から見ると江戸城の「御城」は正立している。

甲州街道から見る江戸城が「御城」の正立する正しい見方だったのだ。

地図の錯覚

ヨーロッパの大航海時代以降、我が国に少しずつ西洋文明が入りこみ、無意識の

図3　江戸城正立

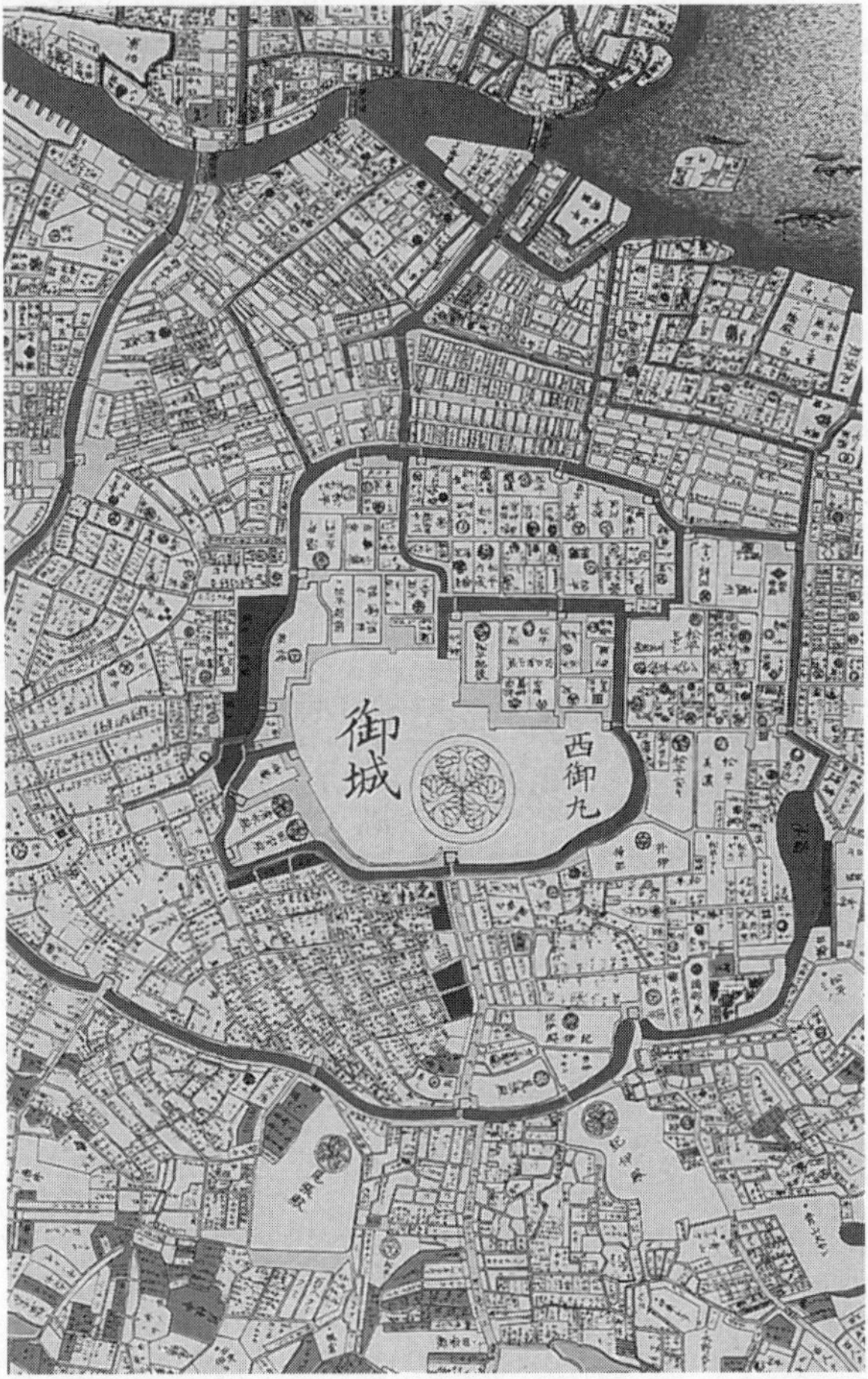

うちに日本文化に影響を与えていった。その最たるものが地図である。

北を上、南を下にするのは、ヨーロッパ大陸を上にして地球を見る西洋の世界観である。

それに対し、日本では地球全体を見る一定の基準はなかった。日本の国土は山脈と海峡で分断されている。その分断された地域の地図は、それぞれの地域の象徴や権力者を中心に置き、それを正立させる方向から地図は作成されていた。

戦国時代、鉄砲やキリスト教とともに「世界地図」も日本に入ってきた。その地図はすべて北を上、南を下にして描かれていた。日本の地図もその影響を受けざるを得なかった。

地域の象徴を正立させる日本古来の地図と、北を上にする西洋基準の地図が混在していたのが江戸時代の地図であった。

江戸の中心はもちろん江戸城である。

江戸の地図は江戸城を正立して描かれなければならない。1614年の大坂の陣で豊臣家が滅亡するきっかけは、豊臣秀頼が寄進した方広寺の鐘に「国家安康」と書き、「家康」の「家」と「康」を切ったとのいいがかりであった。その徳川の世で「御城」を逆立して描くなど考えられないことである。

江戸城を正立して見る方向、それは甲州街道からであった。甲州街道から江戸城を見て「御城」と描いたのだ。

しかし、西洋基準との狭間にあった江戸の地図は、地図全体の位置は西洋基準で、江戸城の「御城」は日本古来の方法で描かれた。「御城」が逆転している江戸地図は西洋文明と日本文明の妥協の産物であった。

あくまで江戸は江戸城を正立させる方向から見る。それが正しい江戸を見る方向であり、その方向は甲州街道からの眺めであった。

その甲州街道と江戸城を結ぶ門、それが半蔵門である。その半蔵門は裏門どころではない。江戸城の正門に位置していたのだ。

甲州街道という道

「半蔵門が江戸城の正門」の仮説を実証したくて皇居周辺を歩いた。自分の足で歩くと微妙な地形の起伏を身体で感じ取れる。皇居はそれほど広くない。地形だけに注目するなら丸一日も歩けば十分である。

その結果、私の仮説は確信となった。

地形は「江戸城の正門は半蔵門」を指していた。

この甲州街道は都内に入ると新宿通りと呼ばれている。この新宿通りは地形的にはっきりした特徴を持っている。

この新宿通りは「高台の尾根」にあるのだ。

JR四ツ谷駅から半蔵門まで新宿通りを歩けばすぐ分かる。皇居に向かって通りの右側に紀尾井町、平河町があり、両側に麴町、左側には番町がある。その四つの町すべてが新宿通りから地形的に下に落ち込んでいる。

そう、新宿通りは尾根道なのだ。

人が最初に踏みしめるのは尾根道である。

尾根道の左右には何もなく見晴らしが良い。尾根道はどんな豪雨でも浸水しない。尾根道は上から石が落ちてくることもない。道のなかで一番安全なのが尾根道なのだ。

戦国時代、街道の安全は最も大切な条件であった。どんなに雨が降っても浸水しない街道。頭上から敵が攻めてこない街道。その安全な尾根道が甲州街道、今の新宿通りであった。

その安全な甲州街道と江戸城を結ぶ門が半蔵門であった。その半蔵門こそが地形上、江戸城の正門の資格を有していた。

地形上、日比谷側の二重橋や大手門が江戸城の正門であるはずがない。

二重橋や大手門は半蔵門と正反対の低平地にある。ここはもともと入江を埋め立てた土地で、少し強い雨が降ると水浸しになる危うい土地であった。

なお、今の二重橋は明治に建造された賓客用の石橋である。江戸時代、この橋は堀の一番水深の深いところに架かっていて、構造上の安定を保つため上下二重にした不安定な木橋であった。

この二重橋が江戸城の正門であったはずがない。

大手門はある意味で江戸城の正門であった。しかし、それは諸大名から見ての正門にすぎなかった。

諸大名たちは大手門で馬を降り、徒歩で汐見坂を登り江戸城に向かわなければならない。諸大名は坂を登る時、体を折り曲げて歩く。上の高台に住む将軍にへりくだる姿勢をこの地形が強要したのだ。

大手門は徳川から見れば家臣たちの通用門でしかなかったのである。

家康が見抜いた「難攻不落の地形」

1590年、家康は秀吉によって江戸への移封を命ぜられた。

家康は江戸入りした際、間違いなくこの甲州街道を通っている。なぜなら、後年、人々の往来で栄える東海道、中山道、奥州道、日光街道は、いまだ関東平野の湿地帯の中にあり江戸城に到達できるルートではなかったからである。

唯一、高台が続く甲州街道だけが江戸城に到達できるルートであった。

甲州街道から江戸に入った家康が、今の新宿付近で見た江戸の光景はどのようなものであったろうか。

家康の前には南に伸びる尾根道、今の新宿通りがあった。その尾根道の先端の高台は海で終わり、その高台には崩れかけた江戸城があった。江戸城の向こうの低地には湿地が広がっていた。

第1章でも述べたが、家臣たちはこの荒涼とした江戸の光景を嘆き、秀吉の仕打ちに怒りの言葉を吐き続けた。しかし、家康は違った。家康はこの江戸のパノラマを見て、別の光景を見ていた。

家康は、この光景の中に「難攻不落の大坂城」を見ていた。

大坂城は上町台地《うえまちだいち》の先端に位置している。上町台地の先端は海で終わっていて、台地の下には河内《かわち》の湿地帯が広がっていた。大坂城へ進入できるのは唯一、天王寺からの谷町筋だけであった。その谷町筋は上町台地の尾根道であった。

織田信長が11年間も手を焼いた石山本願寺の拠点はこの上町台地の先端にあった。この上町台地の地形が織田信長を苦しめていたのだ。

石山本願寺に苦戦する信長を見ていた家康は、上町台地の地形の恐ろしさを知っていた。その後、ライバルの豊臣秀吉がその場所に大坂城を築いてしまった。

家康は江戸の光景を見た瞬間、大坂の上町台地を思い浮かべた。そして家康はためらわずこの江戸を徳川家の終《つい》の拠点とすることとした。

西の大坂の地形に対抗できる東の江戸の地形、それを見透したのだ。

江戸の誕生はこうして甲州街道から始まった。

歴史に埋もれたもの

江戸城を見る方向は甲州街道からであり、江戸城の正門は半蔵門なのだ。

服部半蔵は関ヶ原の戦いを待たずして1596年に死去した。その半蔵の息子は不始末のため半蔵門からすぐ他の屋敷へ移されている。それ以降、服部家は日本史に登場することはなかった。

半蔵門に服部家が住んだ時期はきわめて短い。そのため、江戸古地図を見ても服部家の屋敷跡は描かれていない。

それにもかかわらず、江戸幕府260年を通じて服部半蔵の名前は消されることはなかった。

服部半蔵は家康の命の恩人であった。代々の徳川家はこの「半蔵門」という名前を「家康の命の恩人の門」と読み替えていたのだ。

明治になってもこの名前はそのまま伝わった。しかし、服部半蔵の名は影の忍者の世界を思い起こさせたのと、新たに建造された石造りの二重橋と反対側にあったために、半蔵門は江戸城の裏門だろうという思い込みが定着してしまった。

この原稿を書く前に、例の友人の(元)宮内庁記者と会った。

私は「半蔵門が正門」説を披露した。その頼みとは、彼はまたかという顔で聞いていたが、私は彼に一つの頼みごとをした。その頼みとは、

「皇太子殿下・妃殿下が皇居にご訪問される時、お通りになるのはどの門か?」という質問であった。彼はうんざりした顔で聞いていた。

2日後、彼から電話があった。その声はわずかだが高ぶっていた。

「普段、皇太子殿下・妃殿下が皇居を訪問される時、半蔵門は通らず別の門をお通りになる。半蔵門をお通りになるのは、愛子様が誕生され初めて皇居へお連れした時や外国訪問をして天皇陛下に帰国報告される公式行事の時だけだ」

皇太子殿下でさえ、公式行事以外には半蔵門をお通りになれないという。

半蔵門はそれほど重要な門なのだ。半蔵門は緊急脱出用の裏門などではない。

半蔵門は江戸城の最も重要な門であった。

その半蔵門の埋もれてしまった歴史的な意味を、天皇家の習慣が無言で伝えていた。

半蔵門は正門だった。しかし、この結論から私は江戸時代最大の謎「忠臣蔵」の闇に入り込んでいくこととなってしまった。

第6章

赤穂浪士の討ち入りはなぜ成功したか

徳川幕府百年の復讐②

「半蔵門は江戸城の正門だった」――これは、江戸城の地形から推理した結論だった。

この気楽な頭の体操が、私を江戸時代の最大の謎「忠臣蔵」に誘い込んでいった。

半蔵門が正門なら、ある歴史的事実が説明できない。それは、赤穂浪士47人のうち16名が、この半蔵門付近に潜伏していたことだ。江戸城正門の半蔵門近くの麴町一帯は、厳重な警備空間であった。その証拠は、21世紀の今も残っている。

半蔵門の真ん前には、警察の外郭団体が経営しているホテル・グランドアーク半蔵門がそびえている。その背後には、警察庁官舎の高層ビルが林立している。新宿通りの向こうには、警視庁の最高エリートの麴町警察署が構えている。

さらに、麴町周辺は一番町、二番町という番町地名で埋まっている。徳川将軍の親衛隊の旗本1番隊、2番隊、3番隊たちの住居地区であった。

麴町は江戸の最高レベルの治安空間であった。その麴町に治安を乱す16名もの不逞《ふてい》の輩《やから》の浪士たちが潜伏したという。

一体これはどういうことなのか？　これが「忠臣蔵」の闇の入口だった。

「忠臣蔵」を書くとは思ってもいなかった。

忠臣蔵はもう書き尽くされている。八重洲ブックセンターの歴史コーナーには、忠臣蔵関連本が常に20冊以上は並んでいる。忠臣蔵の専門家は数えきれない。名高い文筆家や作家も忠臣蔵への足跡を残している。

私の忠臣蔵の知識と関心はNHK大河ドラマのレベルでしかなかった。その私がどうしても赤穂浪士のことを書かざるを得なくなった。誰かに強いられたのではない。自分で自分を追い込んでしまった。

「江戸城の正門は半蔵門」という説を立てたため、私は赤穂浪士の思わぬ謎にぶつかってしまったのである。

前章で私は、半蔵門の土手の不思議さについて述べた。

堀を土手で埋めるなど常軌を逸している。世界の城を見回しても、城の堀をわざわざ土手にした例などない。

徳川幕府はよほどの覚悟をした上での決断であったのだろう。その覚悟とは、絶対この土手を守ってみせる、という覚悟である。

麴町の謎

半蔵門の土手を守るにはどうするか。それは半蔵門へ向かう道を守ることである。

半蔵門への道、今の新宿通り、当時の麴町通りを守ればよい。江戸幕府はその麴町通りを面的に防御する方法をとった。

つまり、この通りの周辺に徳川御三家や親藩の上屋敷を配置し、さらに数多くの旗本をこの一帯に住まわせた。御三家とは将軍の跡継ぎ資格のある大名であり、旗本とは8万騎といわれた徳川家の親衛戦闘集団である。

図1は、前章でも登場した嘉永（1848～54年）当時の江戸古地図である。四ツ谷見附の外堀には尾張家や紀伊家の中屋敷が展開している。外堀から郭内に入ると、現在の上智大学には尾張家、ホテルニューオータニには井伊家、赤坂プリンスホテルには紀伊家の上屋敷が配置され、内堀近くには松平家や京極家が配置されている。

江戸城周辺でこのような重要大名の屋敷が集中配置されているのはこの一帯だけである。この屋敷配置によって麴町通り一帯が面的に防備されていたことがわかる。

図1　嘉永江戸図　◎印が平河天満宮

当時の屋敷はすでにオフィスビルやマンションになっていて、もう麴町に江戸の名残りはない。江戸古地図に描かれていてその姿が確認できるものは「平河天満宮」と「日枝神社」だけになった。

太田道灌が江戸城内に創建した平河天満宮は、1607年の本丸拡張時に平河門からこの地に移設された。平河町という町名もこの平河天満宮から取られている。
平河天満宮を図1の◎印で示したが、江戸城の直ぐ傍にあることがわかる。
この平河天満宮の周辺に信じられない謎が潜んでいたのだ。

平河天満宮の謎

今でも江戸時代の姿を残す平河天満宮、ここには菅原道真公が祀られていたが、徳川家康つまり東照宮も祀られることとなった。この天満宮は菅原道真と東照宮の相神となり、その後、徳川家と江戸城の大切な守り神となった。

この天満宮の境内に立つと妙なことに気がつく。天満宮は江戸城を見守るよう半蔵門を向いている。ところが天満宮の参道は社殿に対して斜めに配置されているのだ。これは参拝する江戸っ子の尻が江戸城を向かないようにしたのだろう。

週末の深夜、暇つぶしにインターネットで平河天満宮を検索していた。ぱらぱらと雑多な情報を画面で流していると、ふっと画面に「赤穂浪士」という文字が見えた。

「平河天満宮の近くに赤穂浪士が潜伏していた」という一行があった。

天満宮付近に赤穂浪士が潜伏していた？

そのようなことがあるはずがない！

天満宮付近にかぎって、赤穂浪士が潜伏していたはずがない。

インターネットの落書きの類だと無視してその夜は寝床に就いた。しかし、妙にそれが気になって寝つきは悪かった。

翌日、八重洲ブックセンターへ行った。別の目的だったが歴史コーナーに向かってしまった。そこで忠臣蔵関係本を次々と読むうちに、信じられない気持ちで一杯になった。

どの本にも「麹町の平河天満宮周辺に赤穂浪士たちが潜伏していた」と記されていたのだ。

そんなバカな！　赤穂浪士が麹町に潜伏していたなどあり得ない！

私は唖然として立ち尽くしてしまった。

赤穂浪士の潜伏先

元禄15年（1703年）12月14日未明、赤穂浪士は吉良邸に討ち入り上野介の首を取った。本稿でのデータは『元禄忠臣蔵データファイル』（元禄忠臣蔵の会〈編〉、新人物往来社発行）に基づく。

討ち入り4カ月前の7月末、大石内蔵助は京都の円山会議で討ち入りを宣した。その後、9月から10月にかけ浪士たちは三々五々、江戸に潜入して行った。浪士たちの潜伏先は忠臣蔵マニアによって綿密に調べつくされている。

私はその浪士たちの潜伏先に驚愕してしまった。

大石内蔵助らは日本橋石町をはじめ芝の浜松町、芝の源助町、本町、深川黒江町、南八丁堀湊町、本所《ほんじょ》林町、本所徳衛門町、本所二ツ目町、両国米沢町など江戸市中へばらばらと潜伏していった。

そしてなんと、麹町に赤穂浪士がまとまって潜伏していたのだ。

麹町六丁目に原惣右衛門、吉田忠左衛門ら5名、麹町五丁目に冨森助右衛門、麹

町四丁目に間瀬久太夫ら6名の浪士が潜んでいた。64歳の吉田忠左衛門は大石内蔵助の副官であり、原惣右衛門は武闘派急先鋒の代表格である。赤穂浪士の主要人物を含む三分の一に当たる総計16名の浪士が麹町に潜伏していたことになる。

この多人数の赤穂浪士の麹町潜伏にも驚いたが、それ以上に驚いたことがあった。それは、どの忠臣蔵関係本も赤穂浪士が半蔵門近辺に潜伏したことに疑問を抱いていないのだ。

何故、誰もこのことに不審を感じないのか？

麹町は郭内にあり江戸城から歩いて5分もかからない。ましてやここは堀が土手で江戸市中で最も警戒が厳しい地区でもある。

その警戒が厳しい麹町に16名という多数の浪士集団が潜んでいたという。今日の例でいえば、指名手配の過激派が警視庁のすぐ裏をアジトにしたようなものだ。

とうてい信じられる話ではない。何故、忠臣蔵研究家たちがこの事実を疑っていないのだろうか。

✣ 密偵の時代

日本の歴史上、江戸時代は平和で安定していた。それは江戸幕府の圧倒的強権下での平和と安定であった。

各藩は江戸幕府の前で戦々恐々としていた。武家諸法度を少しでも犯せば、お家の取り潰し、石高の召上げ、他所への移封が行われた。

ある藩がふとどきをしたかどうかを、速やかにかつ正確に知る情報把握システムこそが、江戸幕府の力の源泉であった。江戸幕府の情報把握システムとは、密偵の配置、すなわちスパイ網システムであった。

スパイ網は全国各藩に張られていただけではない。大名とその家族が住む江戸市中こそ、スパイ網は密に張り巡らされていた。

実在の火付盗賊改方・長谷川平蔵をモデルにした池波正太郎の『鬼平犯科帳』では、次から次へと数多くの密偵が登場する。この小説の主人公は密偵であり、江戸を舞台にしたスパイ小説といえる。この小説の中でも、麴町四丁目の蕎麦屋「瓢《ひょう》簞《たん》屋」の亭主という人物が登場する。その亭主も元幕臣で今は密偵という設定になっている。

忠臣蔵の関係本では、平河天満宮の賑わいの中に赤穂浪士は潜んだと記述している。しかし、それらの本もこの麴町一帯の警備の厳重さに言及していない。どうやら麴町が半蔵門の近くにあったことは知っていたが、その半蔵門が江戸城にとって重要な正門であり、かつその堀は土手だったことには気がついていないようだ。

誰もが、江戸の中心は大手町から日本橋方面で、麴町は江戸城の裏側で潜伏しやすい場所と思い込んでいるようだ。しかし、半蔵門が江戸城の正門だとすれば全く様子が異なってくる。

特に四ツ谷見附から江戸城までの麴町周辺は、密偵の網が稠密《ちゆうみつ》に張り巡らされていたと考えてよい。その張り巡らされた密偵網の中に16名もの多数の赤穂浪士が潜伏していたという。

麹町潜伏の謎

半蔵門が江戸城の正門で、この半蔵門付近に16名という多数の赤穂浪士が潜伏していた。これからある結論が導き出される。

ここでもう一度、確認した事柄を整理して、そこから導き出される結論を述べる。

①半蔵門は江戸城の大切な正門であった。②江戸幕府は将軍がその半蔵門の堀を渡るのに、構造上危うい木橋ではなく土手にした。③半蔵門の土手防御のため、四ツ谷見附から江戸城までの郭内は御三家や親藩の屋敷を配置し、かつ、戦闘集団の旗本たちも住まわせた。④賑わう麹町の商店には密偵がくまなく配置されていたと推定できる。⑤江戸で最も警備が厳重なこの麹町に、副官の吉田忠左衛門、武闘派急先鋒の原惣右衛門をはじめ16名もの赤穂浪士が潜伏していた。

以上から出てくる結論はひとつである。

「赤穂浪士は江戸幕府に匿《かくま》われていた」のである。

江戸幕府が赤穂浪士の麴町潜伏を見て見ぬ振りをした、という消極的な関与ではない。徳川幕府自身が赤穂浪士を匿った、という積極的な関与である。

私は前に「指名手配の過激派が警視庁の裏をアジトにしたようなもの」と表現した。しかし、より近いアナロジーで表現するなら、

「指名手配の過激派は警視庁内部の空き部屋をアジトにした」となる。

もし、警視庁の空き部屋に過激派が潜んでいたら、警視庁が見て見ぬ振りをしたなどという生やさしい事態ではない。それは警視庁が匿っていたと断言してよい。

赤穂浪士の麴町潜伏はこのアナロジーが最も近い。

忠臣蔵の謎に気がつくと、ほかにも不思議な謎が浮き彫りになってくる。

それは、吉良上野介の屋敷の移転の謎である。

やはりこの謎も江戸の地理に深く関係している。江戸古地図がその謎をいやおうなく指し示している。

吉良邸、本所《ほんじょ》へ

前述した大石内蔵助らが京都の円山で会議を開いた頃、赤穂浪士の討ち入りの成否にとって決定的な出来事が江戸で発生していた。

それは、吉良上野介邸の移転であった。

松の廊下の刃傷《にんじょう》が起きた時、吉良邸は今の東京駅八重洲口の呉服橋門にあった。当時、東京駅八重洲口の前の外堀通りは堀であった。その堀から江戸城側が郭内であり、吉良邸はその郭内の中にあった。

「高家《こうけ》」という重要な役職の吉良上野介が郭内に邸宅を構えていたのは当然であった。

その吉良邸が本所へ移転することとなった。江戸郭内から隅田川の両国橋を渡って向岸の本所へ移る。いくら高家職を辞したといっても、これは途方もない移転である。

両国橋は明暦大火の後1661年に建造された。その両国橋は名前の示すとおり二つの国を結ぶ橋である。二つの国とは、江戸の武蔵国と千葉の下総国である。隅田川を渡ると、そこはもう江戸ではなかった。下総という国だったのだ。

現代の我々は、広重の浮世絵を通じて両国橋周辺の賑わいを知っている。しかし、注意しなければならないのは、その賑わいの浮世絵は両国橋が建造されてから200年後の姿なのだ。

吉良邸が移転した時は両国橋が建造されてから40年経っていた。そのため、いくらか市街地が広がっていただろうが、あくまでこの一帯は隅田川の舟着場であり、荷卸し場であり、各藩の物資保管倉庫街であった。隅田川の江戸市内側は「蔵前」という名前がつき、隅田川の向こうの本所には御竹蔵、御米蔵や御舟蔵や石置場など江戸最大規模の倉庫群が連なっていた。さらに、本所には空地がいくらもあったので、明暦大火災の無縁仏を弔う回向院《えこういん》も建設された。

討ち入り当時の本所一帯は浮世絵の両国花火で見るような賑わいではなかった。いまだ下総の匂いを残す寂しい場所であり、水はけが悪く雨のたびにジメジメする土地であった。

吉良上野介はその両国橋の向岸、本所の無縁寺・回向院の隣へ移転したのだ。

吉良邸移転の謎

もし、吉良邸がこの本所に移転しなかったら、赤穂浪士の討ち入りはなかった。これは断言できる。

郭内にあった旧吉良邸のすぐ近くには北町奉行所があった。1604年に設置された北町奉行は、司法、行政、裁判所、検察、警察、刑務所、消防などを司る強力な武装機構である。

さらに旧吉良邸の呉服橋門から八丁堀にかけては町奉行所の与力、同心の住居屋敷が展開していた。その数は幕末には約7000人余といわれ、治安警備関係者の根城となっていたのだ。

赤穂浪士がいくら事前に準備しても、江戸城郭内の吉良邸への討ち入りなど決してできない。それは幕府警備機構の面目にかけて許されない。

その吉良邸が江戸の中心部から川向こうの倉庫街の本所へ移転した。倉庫街はどこも薄暗くて人目がないと相場は決まっている。

この吉良邸移転は、赤穂浪士に向かって「さあ討ち入ってくれ」といわんばかりであった。

ではなぜ、吉良家はこのような移転をしたのか？

吉良家は移転したくてわざわざ本所などへ移転したのではない。吉良家は移転させられたのである。

では、誰が吉良邸を移転させたのか？　その答えは簡単だ。それは、江戸幕府である。

当時、大名や幕臣の邸宅移転はすべて幕府の指示と許可で行われた。高家だった吉良上野介を本所などへ移転させられるのは江戸幕府しかありえなかった。そのため、これは吉良邸の移転というより、江戸幕府が吉良上野介を江戸城郭内から放逐《ほうちく》したといってよい。

江戸幕府が赤穂浪士討ち入りの舞台「本所」を整えたのであった。

江戸古地図がそのことを指し示している。

忠臣蔵の最終幕

赤穂浪士の討ち入り「忠臣蔵」は日本人が一番好きな歴史劇である。苦難を乗り越え、忍耐を重ねて主君のため本懐を遂げる。

ところが、この忠臣蔵は不思議な謎に包まれた劇なのだ。

最も大きな謎は、この劇の第一幕の動機がわかっていないことである。つまり、なぜ、松の廊下の刃傷劇が起こったのか、がわかっていない。何人もの歴史家や作家がこの謎に取り組んだが未だ解かれていない。忠臣蔵という劇は、一番大切な第一幕の「動機」があいまいなまま進んでいく不思議な劇なのだ。

そして、この物語の最終幕も謎に包まれている。

この劇の最終幕は四十七士の切腹の場面だと思われている。観客もこの切腹の場面を見終わると、涙を流しながら席を立ってしまう。

しかし、観客が席を立ち去り誰も観ていない舞台で、本当の最終幕がもう一幕、密かに繰り広げられるのだ。

この忠臣蔵の最終幕の演目は「吉良家の滅亡」なのだ。

吉良上野介は赤穂浪士によって討ち取られた。しかし、これで吉良家の悲劇は終わらなかった。本当の吉良家の悲劇はこれから始まったのだ。これについては岳真也『吉良上野介を弁護する』（文春新書）が詳しい。

吉良上野介の実子で上杉家を継いだ綱憲は、父を救えなかったことを悔やみ一年後に悶死する。上野介夫人の富子は息子の死後二カ月後にあとを追うように病死してしまう。

さらに、実孫で養嫡男、吉良左兵衛も悲惨な最期を迎える。左兵衛は討ち入りの夜、深傷を受け気絶するまで赤穂浪士と戦った。しかし、徳川幕府は「父、上野介を守らなかった！」という言いがかりをつけ、吉良家を断絶させ領地を没収してしまう。吉良左兵衛は信州へ流罪となり、厳しい環境の幽閉で病に犯され3年後には息を引きとってしまう。吉良家の血筋は絶えてしまった。

吉良家の滅亡に対して、刃傷沙汰を起こした浅野家はいったんお家取り潰しになるが、その後、幕府によって復活させられる。赤穂浪士の18名の子息たちも配流を命ぜられるが、その後、全員許され父以上の禄高で諸藩に召し抱えられていった。

忠臣蔵の舞台の山場は鎖かたびら、槍そして弓矢で完全武装した赤穂浪士による吉良上野介の虐殺場面である。

しかし、この忠臣蔵の真の山場は観客たちが帰った後の誰も観ていない舞台での「吉良家の抹殺」であった。

第7章

なぜ徳川幕府は吉良家を抹殺したか

徳川幕府百年の復讐③

浅野内匠頭が松の廊下で吉良上野介に斬りつけた。それも朝廷からの使者が江戸に来ている時にだ。徳川幕府にとって、この浅野内匠頭の狼藉は前代未聞の破廉恥で無礼な所業であった。

例えると、大会社の社長室に外国からの大切な取引相手が来ている時、接待の責任者である総務部長が、接待担当の専務を会社の廊下で金属バットを振り回して追いかけている非常識な事態となる。

浅野内匠頭が即刻切腹を命ぜられたのは当然だった。ところが、この先から事態はおかしくなっていく。前章の最後で述べたように、幕府は吉良家の血筋は誰一人残さないほど、徹底的に吉良家を滅亡に追い込んでいった。

この徳川幕府の吉良家への仕打ちは異常と言ってよい。なぜ、徳川幕府はそれほどまで吉良家を憎んだのか？

一般に言われている「高家の吉良家が目障りだった」では済ませない。徳川幕府の強烈な吉良家への憎しみが感じ取れる。

吉良家の菩提寺に参拝した直後、偶然に、その徳川家の吉良家への憎しみの原因を愛知県の矢作川の地理で解くこととなった。

謎の物語の忠臣蔵のジグソーパズルはほとんど完成したが、大切な最後のピースがまだ埋まっていない。

その最後のピースは「動機」である。

なぜ、それほどまで徳川幕府は吉良家を抹殺しようとしたのか?

この徳川幕府の動機がわからないかぎり、この忠臣蔵のジグソーパズルは完成しない。

吉良家は足利家の血を引く武士社会の名門であった。吉良上野介は知識豊富で故事典礼、諸式礼法を具えた幕臣第一級の人物で、京都の朝廷と徳川幕府の間を取り持つ「高家」という高職にあった。その上野介は外様大名の米沢の上杉藩や鹿児島の島津藩と次々と姻戚関係を結んでいった。それはまるで徳川幕府に見せつける振舞いであり、徳川幕府側からみれば吉良は目障りな存在であった。

徳川幕府はこの目障りな吉良家を葬りたかった。

一応、そのように説明をつけることができる。しかし、この説には物的な証拠がないし、「目障りだから」という理由だけではあまりにも弱い。

実は、吉良家抹殺は、徳川幕府の100年かかった復讐劇だったのだ。

矢作川河口の歴史図

２００４年の台風が去った秋晴れの日、愛知県の矢作川《やはぎがわ》河口部で行われたエクスカーションに参加した。

エクスカーションとは大人の勉強小旅行である。応用生態工学会の主催で第１日目は矢作川下流部をバスで回り、２日目は水産、農業、生態の専門家が矢作川や三河湾の研究を発表して討議するというワークショップであった。

私が参加した矢作川エクスカーションの宿泊は吉良温泉であった。そう、吉良温泉、それは吉良上野介の領地だった吉良町にあった。その吉良町は矢作川の河口部に位置していた。

エクスカーションの行程には吉良家の菩提寺も入っていた。新幹線の三河安城駅から吉良温泉に向かう車の中で、今から行く菩提寺にも参らないで吉良上野介を書いてきた申し訳なさで一杯になっていた。

吉良家菩提寺の華蔵寺《けぞうじ》に着いた。その寺はそれほど大きくはないが良く手入れが

図1　矢作古川と矢作川の干拓図

『矢作川農業用水ものがたり』新矢作川用水農業水利事務所

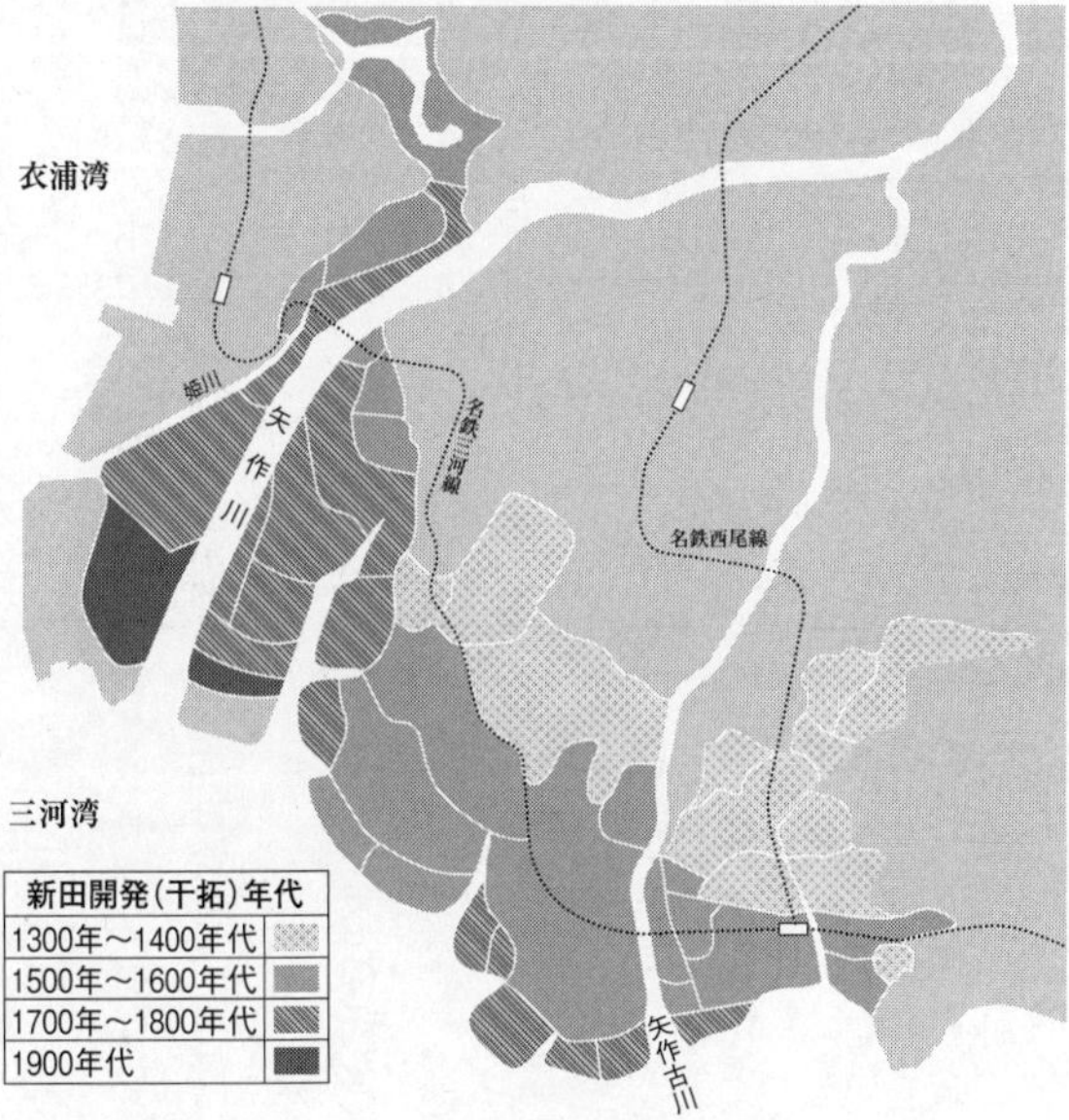

なされていた。吉良上野介の墓で手を合わせた後、再び車に乗る時には心の重荷が軽くなっていた。

その翌日、吉良温泉のホテルの会議室でワークショップが行われた。

そのワークショップで、私の神経は主催者の配付資料に釘付けになってしまった。

予想もしていなかった資料と出会ったのだ。しかし、全神経を集中しないと、それはすーっと消えてしまう危ういものであった。

「集中しろ」と自分に言い聞かせ、その資料の図に食い入った。

その図とは**図1**と**図2**であった。これは矢作川河口部の古地図である。

徳川幕府が吉良家を抹殺しようとした動機が浮き出てきた。

図1は矢作川の干拓の歴史である。この図によると1300年代から矢作川河口部の干拓が始まっている。

矢作川の土砂が干潟を形成すると、その浜を塩田として利用していく。次に、その塩田を干拓して農地にし、その干拓地の前浜を塩田にしていく。その繰り返しによって矢作川河口部が沖へ沖へと干拓されていく歴史が手に取るように示されてい

図2　1605年矢作川の付け替え　『吉良の歴史』発行・吉良町

る。

300年間の長きにわたって、矢作川河口部で塩田をつくり干拓農地を広げていたのが吉良家であった。

ところが1600年代以降、旧の矢作川つまり矢作古川の吉良領はほとんど拡大していない。1600年以降の干拓は新しい矢作川の川筋だけで行われている。この新しい矢作川は人工的に造られた河川であった。

新しく造られた矢作川を示すのが図2である。この図をみると、新しい矢作川は切り開かれた碧海台地《へきかいだいち》を抜けて海に直接導かれている。そして図1でわかるように1600年代以降の干拓はこの新しい矢作川で行われていて、旧の矢作川の吉良領地では干拓はほとんど行われていない。

それは当然といえば当然である。干拓の砂は矢作川が運んでくる。矢作川の流路が切り替えられれば、砂はそちらへ流れていってしまう。もう、旧の矢作川の吉良家の領地には流れてはこない。

では一体、誰がこのような工事をしたのか？

それは徳川家康であった。

矢作川の確執

1600年の関ヶ原の戦いの5年後の1605年、徳川家康はわざわざ台地を切り開いて矢作川を海に導いた。これは近代の河川の常識で見ると、まるで洪水を海へ放流する放水路のようだ。信濃川の大河津分水や狩野川の狩野川放水路のように洪水を海へ導くためだったのか。もしそうなら、家康は我が国初めての洪水の放水路を建設したこととなる。

しかし、家康はそのような目的でこの工事を行ったのではない。なぜなら、矢作川の下流部は吉良家の領土だった。吉良家を守るため金をかけてこのような大工事をするほど家康は慈善家ではない。

それではいったい何のために、なぜこの時期に、家康は矢作川を切り替えたのか。その答えが**図1**にあった。

この工事の目的は上流の岡崎地方の水はけを良くすると同時に、新しい矢作川での塩田と干拓農地の拡大であった。

上流の岡崎地方の水はけを良くする目的だけなら旧の矢作川を拡張すればよい。その方が工事もはるかに簡単で安い。家康は碧海台地をわざわざ切り開き新しい矢作川を作って海へ導いた。その理由は、家康は矢作川の土砂の干潟を利用して干拓農地を開発したかったのだ。家康は洪水の放水路で下流の吉良領を守るなどという心優しい戦国大名ではなかった。逆に、吉良領にこれ以上の干拓農地の拡張を許さないという意思表示なのだ。

吉良領地の直上流部が岡崎の徳川領地であった。徳川領地と吉良領地は矢作川で隣接する上流と下流の関係にあったのだ。

これに気がつくと、今まで誰も気がつかなかった両大名の間の厳しい物語が浮かび上がってくる。

❖――命をすり減らす戦い

世界中の人々は川の水を巡って争い続けてきた。

誰かが川の水を取水すれば、他の者の水量は確実に減る。ある地区を洪水が襲えば、それ以外の地域は洪水からまぬがれる。これは極めて単純な原則である。単純な原則だからこそ、世界中の川でこの原則は貫かれてきた。川を巡る確執と闘いは陰にこもったものとなる。なぜなら、水は人々の命に直接関係していて、その命の水の確執の相手はいつも顔を合わせている対岸の人々であり、上流と下流の隣村の人々だからだ。

川筋では必ず優劣関係が形成されていく。最も一般的で根強い優劣は、その川に先に住み着いた者の優先権であった。後から入り込んできた者は必ず劣位となる。優位の者は川の水を優先的に使い、洪水を受けないよう対策を打つ。劣位の者は、水を取水したり治水工事をするにも、優位者の了解がなければできない。優位なものはさらに豊かになり格差は広がっていく。この優劣関係は何十年間、何百年間も覆ることはない。

その優劣関係がこの矢作川でも厳然と存在していた。何百年間もの長い間、矢作川の圧倒的な優位者は吉良家であった。

ところが、途方もないことがこの矢作川で起きてしまった。矢作川の劣位者だった徳川家康が天下を取ってしまったのだ。

矢作川の物語は他の川に例がないほど複雑になってしまったのだ。

✣——源氏の名門、吉良家

時間を780年前に戻さなければならない。なお、データは吉良町の『吉良の歴史』による。

鎌倉時代の1221年の承久の乱の後、源氏の名門であった足利義氏が三河の守護になり吉良庄の地頭職を兼務した。それ以降、鎌倉時代から室町時代を通じて吉良姓を名乗りこの矢作川下流部を支配した。温暖な気候と矢作川を利用して塩田をつくり、干拓をして農地を広げていった。吉良家はこの矢作川河口部で安定した豊かな時代を送っていった。

200年後の1441年、将軍の足利義教が暗殺されると、吉良庄の吉良義尚が足利将軍の代理を務めたほど、吉良家は名門中の名門であった。

しかし、時代は下剋上の戦国の世に突入していった。吉良家から分家した今川氏は武力により三河地方に勢力を広げ、この地方は今川氏と織田氏の争いの最前線となっていった。

この両雄の間で翻弄されたのが三河地方の小さな領主、松平家の家康であった。

1542年、岡崎で生まれた家康はある時は織田氏の人質になり、ある時は今川氏の人質になり戦国の波に翻弄されていた。1560年、桶狭間の戦いで今川義元が戦死すると、今川陣営だった家康は念願の岡崎入城を果たした。その後、家康は織田氏と同盟関係を結び、各地を転戦する戦国大名となり、次第に勢力を広げていった。

天下取りを狙う家康は吉良家も狙った。家康は吉良領に攻めこみ、いったんは吉良家を倒すが、吉良義定とその子、吉良義弥《よしみつ》を部下として従わせた。その吉良義定は関ヶ原の戦いでおおいに奮戦し、旗本に取り立てられ、名門の吉良家は復興し存続することとなった。

1605年まで待った家康

徳川家康は江戸幕府を開くと、名家の武家から人を選んで「高家《こうけ》」という制度をつくった。吉良義定は高家の中で筆頭に取り立てられた。この高家は朝廷と徳川幕府の仲介や調整を行うこととなった。また、血なまぐさい戦場をかいくぐってきた猛々しい大名や旗本に儀式や礼節を教え、江戸幕府の統制を強める役目も果たした。

徳川幕府の開府から100年後の吉良上野介まで、吉良家はとび抜けた筆頭の高家として幕府内で不動の地位を保ち続けていた。

ここでまた一つの疑問が出てくる。

なぜ、徳川家康は吉良家を取り立てたのか？　矢作川で何十年間も屈辱的な劣位に甘んじていた家康は、なぜ、武力で一気に吉良家を葬らなかったのか？

その謎の解のヒントは、**図2**の矢作川の開削の時期にある。

前述したように、台地を開削して矢作川を切り替えたのは1605年である。もし、家康が矢作川を切り替えたければ1600年の関ヶ原の戦いの後にすぐ行えたはずであった。家康にはもう矢作川筋で恐れるものなど誰もいなかった。それなのに、家康は矢作川の開削を1605年まで待った。

家康が待たなければならない理由はなにか？

家康には待たねばならない重大な理由があった。

家康はどうしても成し遂げなければならないことがあった。それまでは矢作川に手を付けられなかったのだ。

その成し遂げることとは「家康が征夷大将軍」になり、さらに「征夷大将軍の徳川家の世襲体制」を固めることであった。

空白の3年間

めまぐるしい徳川家康の年代記で、関ヶ原の1600年から1603年の3年間は空白となっている。この3年間には何も記録されるべきことがない。

この3年間、家康は関西に居て、征夷大将軍に任命されるのをただただ待ち続けていた。征夷大将軍には自分の力ではなれない。朝廷、すなわち天皇に任命してもらってはじめて征夷大将軍になれる。

桓武天皇は東北の蝦夷を征伐するため初代の征夷大将軍、大伴弟麻呂を任命した。第2代目に任命された坂上田村麻呂の活躍で征夷大将軍の名が一躍有名になった。その後、歴史の中心は武士階級となり、その頭領が「征夷大将軍」となった。

関ヶ原で勝った家康は征夷大将軍になり、自分こそ武士の頭領であるとの宣言が必要であった。しかし、いくら武力で天下を抑えても朝廷の意がなければ征夷大将軍に任命されない。朝廷の意をどうやって引き出していくのか。その朝廷の意を引き出すことが家康にとって最重要事項となった。

その朝廷に何百年も仕え、近しくしていた武家一族がいた。それは武家の名門の足利家であり吉良家であった。足利幕府が滅んだ後は、吉良家が朝廷との関わりを保っていた。その吉良家を徳川家康は直参の旗本として従わせていた。

その吉良家が朝廷と徳川家の仲介をし、家康の望みを実現していくこととなった。

世襲の征夷大将軍

1603年、家康は念願の征夷大将軍に任命された。しかし、家康はこれで目的を達したとは思っていなかった。家康の狙いはさらに執拗であった。家康の執拗な狙いはその後の家康の動きを見ればわかる。なんと、征夷大将軍になった家康はすぐ隠居し、長男の秀忠を征夷大将軍にするよう朝廷に働きかけたのだ。

この不思議な家康の隠居と秀忠の征夷大将軍の就任は重要な意味があった。それは、今後の武士の頭領の征夷大将軍は「徳川家が世襲する」という宣言であった。

その強引な徳川家康の狙いの実現のため、吉良義定が朝廷との調整を引き受けていたのだ。そして、1605年の4月、秀忠は征夷大将軍に任命され、徳川家の征夷大将軍の世襲体制が確立した。

その1605年、家康はついに矢作川に手を付けた。碧海台地を切り掘って矢作川を直接、海に導いたのだ。家康はそこで塩田を作り、干拓農地を拡大する長年の夢をかなえることとなった。

しかし、圧倒的な強者になった家康は吉良家を完全に潰したくても潰せなかった。せいぜい矢作川を切り替えて、これ以上は吉良領地で干拓農地を拡大させない、という程度の報復で我慢せざるを得なかった。

逆に、徳川家は吉良家を潰せず「筆頭の高家」という特別な職で処遇をした。そのことで、徳川家側の複雑な屈折した事情がはっきり透けて見えてくる。

屈折の100年

他の大名にとっては、吉良家は単なる名家で敬意を払っていればいいだけの存在だった。ところが、徳川家にとって吉良家は単に名家だけではなかった。

徳川家は、徳川家存続のために吉良家を必要としてしまったのだ。

家康が征夷大将軍の称号を得る時、朝廷との仲介で吉良家の働きが必要であった。それだけでは済まなかった。代々の徳川家が征夷大将軍を世襲するにも吉良家を必要とした。征夷大将軍は必ず死ぬ。その後には同じ徳川家の誰かが征夷大将軍に任命されなければならない。そのたびに、朝廷の意を得るため吉良家の仲介と調整に頼らざるを得なかった。

江戸城内で、吉良家は朝廷の権威に寄り添う優位者となったのだ。

圧倒的な権力者になった徳川家は、吉良家に屈折した感情を抱くこととなった。

矢作川での長年の劣等意識がそのまま江戸城に持ち込まれたのだ。

権威の吉良家と権力の徳川家とのやっかいで複雑な関係は、2代将軍の秀忠、3

代将軍の家光、4代将軍の家綱、5代将軍の綱吉と100年間も続いていった。

復讐のエネルギー

1701年、徳川幕府に衝撃が走った。殿中、松の廊下で浅野内匠頭が吉良上野介に切りつけ負傷させたのだ。高家に対して刃傷沙汰をした浅野家はお家取り潰し、浅野内匠頭は切腹という裁定が下された。しかし、その後の浅野家の家臣たちに不穏な動きがあるというニュースが徳川幕府にもたらされた。

徳川幕府、いや徳川家にとって千載一遇の機会が巡ってきた。これを最大限に利用してあの吉良家を抹殺する。浅野が悪いのか、吉良が悪いのかはどうでもよい。ともかくあの矢作川でなめてきた辛酸、江戸城内での100年間の屈辱を晴らす。もう二度と徳川家より上に立つ武家の存在を許さない。

吉良を討つという赤穂浪士への見えざる支援は当然の方針となった。さらに、討ち入り後の徳川幕府による徹底した吉良家潰しは必然であった。手の出せなかった吉良家を白昼堂々と潰す口実を徳川幕府は手に入れたのだ。

忠臣蔵劇を動かしていた情動は、赤穂浪士たちの忠君という涙を誘うきれい事ではない。人間の心情などは権力闘争の前では微々たるものだ。

忠臣蔵の底を流れる強い執念、それは徳川家１００年目の権力の復讐のエネルギーだったのだ。

吉良家の菩提寺で手を合わせたあと、私はあの二枚の図と出会えた。いや、あの二枚の図と出会えたというより、まるで吉良上野介の思いがあの二枚の図の前に強引に私を連れていったようだ。そして、この図を見ろ。忠臣蔵と呼ばれている物語の深層を読み解け、と言っているようだった。

忠臣蔵のジグソーパズルの最後のピースがやっとはまった。しかし、なぜか達成感はなく、重い気持ちに包まれてしまった。

第8章

四十七士はなぜ泉岳寺に埋葬されたか

徳川幕府百年の復讐④

元禄15年12月14日（旧暦。西暦では1703年1月30日）の早朝、本所の回向院の隣の吉良邸から47人の赤穂浪士は高輪の泉岳寺に向かった。

吉良の家中が寝静まっている中を襲撃し、16人を殺害し23人を負傷させ、遂には吉良上野介の首を討ちとった。浪士たちは本所から江戸警備の役人住居地区の八丁堀を迂回して、新橋からは堂々と東海道に出て、札の辻にあった大木戸を通り抜け、泉岳寺に向かったのだ。血だらけの狼藉者集団が江戸市中を堂々と行進し、大木戸を通り抜けるなど当時としては考えられない事態であった。

さらに、この四十七士の向かう先が「泉岳寺」であった。この泉岳寺は江戸幕府にとって何ものにも代えがたいほど重要な寺であった。その泉岳寺に集合するだけでなく、全員がここで丁寧に埋葬されることとなった。

なぜ、幕府はこの泉岳寺での集合と埋葬を許可したのか。ここに江戸幕府の最後の巧妙な仕掛けが隠されていた。

21世紀の今でも、日本人はこの江戸幕府の仕掛けに見事に引っかかっている。

高輪大木戸から泉岳寺へ

1868年の江戸攻防を前にして、旧幕臣の勝海舟と官軍参謀の西郷隆盛の会談は、高輪の薩摩藩下屋敷で行われた。今では藩邸跡に碑だけが立っている。大井町に住んでいるので、この碑の前は何度か通っている。改めてその碑を見たくなったので、休日の午後にぶらりと出かけた。

JRの田町駅で降り、第一京浜を東京方面へ向かった。旧三菱自動車ビルの玄関横に「江戸開城 西郷南洲 勝海舟 會見の地」という大きな丸い石碑がある。その他には何もない。写真を撮ったら、もう見るものがない。

せっかく外へ出てきたので、自宅まで歩くことにした。1時間も歩けば着くはずだ。

勝・西郷会見の石碑を後にして、第一京浜沿いを品川方面に戻った。

第一京浜は正式には国道15号線であり、昔の東海道である。正月の箱根大学駅伝の舞台でもある。東京と横浜間の主要な幹線なので、人々は国道15号とは呼ばず、

写真1　高輪大木戸跡

第一京浜という愛称で呼んでいる。

来る時に降りたJR田町駅を通り過ぎた。田町駅を過ぎるとすぐ、札の辻の交差点に出る。この札の辻交差点の横断歩道を渡って、1km近く歩くと、高輪大木戸跡にぶつかった。**写真1**が高輪大木戸跡である。

この石垣は、いかにも大木戸跡らしく歩道を塞ぐように横たわっている。そのため、歩道を歩く人々はその石垣を迂回して進む。

江戸市内には町境の要所ごとに木戸があった。木戸の両開きの扉の脇には、木戸番小屋があり、夜は木戸の扉は閉じられていた。江戸で特に重要な木戸が、東海道の高輪、甲州街道の四谷、中山道の板橋であった。言うまでもなく、これらの大木戸の目的は、江戸の治安警備であった。

板橋の大木戸は取り壊されたが、四谷大木戸の一部と高輪大木戸の一部が保存された。江戸末期には警備は緩やかになったが、このがっしりした石垣の高輪大木戸跡を見ていると、江戸への警戒厳重な関門だったことを推定させる。

1702年12月14日の雪の早朝、血だらけの赤穂の浪士たちは、この大木戸を平然と通り抜けたことになる。本来なら、通行をとがめられるところだが、そのようなことは伝わっていない。徳川幕府の「見て見ぬ振りをせよ」という指令は、末端の役人にまで行き渡っていたのだ。

高輪大木戸跡を写真に撮って、品川に向かって歩き出した。歩き出して100mも行かないうちに泉岳寺の交差点に出た。

この泉岳寺には、何度か来ていた。しかし、いつも地下鉄の泉岳寺駅やJR品川駅から来ていた。わざわざ遠いJR田町駅から来たりはしなかった。そのため、高輪大木戸と泉岳寺が、このように近いとは気がつかなかった。

この泉岳寺の交差点に立った時から、何かがしきりに私に語りかけてくるような、落ち着かない気分になっていた。

泉岳寺の立札

毎年、暮れになると「忠臣蔵」が放映される。私もそれを観て涙を流してしまう普通の日本人であった。その私が、あの討ち入りは徳川幕府の庇護の下に行われた一方的な襲撃であった、と第6章で書いてしまった。

泉岳寺の交差点で、落ち着かない気分になったのは、その四十七士に対しての申し訳なさだったのか？　時間は十分あったので、久しぶりに四十七士に線香をあげようと思い、第一京浜を横切り、泉岳寺へのゆるゆるとした坂を登っていった。

中門を入ると、数軒の土産店が色とりどりの忠臣蔵グッズを売っている。その風景は、地方の観光地と同じだ。この土産店のおかげで、都心なのに、遠くまで旅をしてきた気分になる。この土産店は、日常生活から非日常の忠臣蔵の世界への境界の役目を果たしている。

土産店の前を過ぎ、山門を潜り、通り過ぎようとした時、木の立札が目に入っ

写真2　泉岳寺の山門の立札

一、当山は慶長十七年（西暦一六一二）
徳川家康公の創立（曹洞宗 江戸三ヶ寺の一つ）
開山は門庵宗関禅師（今川義元の孫）
一、山門建立は三十四世
大道貞釣和尚（天保三年 西暦一八三二）
天井の龍
関義則作（日本の彫金の元祖）
禅曹洞宗
泉岳寺

た。

　この山門まで来ると、四十七士の墓に心が急ぐ。何度か来ていたが、今まではその立札に目が行かなかった。しかし、なぜかその日は立札に吸い寄せられていった。

　その立札を見上げた私の目は、そこの文字に釘付けになっていた。

　その立札が**写真2**である。「天井の龍」の字が大きく目立っている。つい、その名物案内に注意が行くが、私の視線はそこではなかった。2行目の「徳川家康公の創立」であった。

　家康が泉岳寺を創建した？

　四十七士が祀られている寺は、家康が

創った寺なのか？

四十七士の討ち入りは、徳川幕府の威信を損ない、天下の平穏を乱した。そのため、四十七士は取り調べの後、全員切腹させられ、その日のうちに埋葬された。

当時、四十七士は間違いなく重大な犯罪者たちであった。その犯罪者が埋葬された寺が、家康が創建した寺であったという。

そのようなことは、信じられない。

泉岳寺を創建した者

あわてて山門をくぐり、四十七士の墓とは反対の本堂に向かった。ちょうど本堂に近づいた時、中年の僧侶が本堂から出てきた。挨拶をしながら、「ちょっとお尋ねしてよいか」と言うと、笑顔で立ち止まってくれた。

「この泉岳寺は、本当に家康が創建したのですか？」

私の不審げな質問に、僧侶はいやな顔もしないで快く答えてくれた。

「1612年、泉岳寺は家康公によって創建された寺です。家康が幼少の頃に預けられた今川義元を弔うため創建したのです。当初はホテルオークラの場所に建築されたのですが、1641年の寛永の大火事で焼けてしまいました。その後、家光公がこの高輪に再建したのです」

泉岳寺は、家康が創建して、家光が再建したという。家光まで登場してきた。私はつい強い口調で聞き返してしまった。

「徳川家にとってそれほど大切なお寺に、赤穂四十七士の犯罪者を葬ったのですか？」

私が何か因縁をつけていると誤解したのかもしれない。僧侶は少しこわばった声で、次のように答えてくれた。

「家光公の命令を受けて普請に当たった5大名が、毛利、浅野、丹羽、朽木、水谷家でした。その縁で、泉岳寺が浅野家の江戸での菩提寺になったのです。浅野公が葬られているこの泉岳寺に、四十七士も埋葬されたのです」

泉岳寺が浅野家の江戸での菩提寺だったことは知っていた。しかし、この泉岳寺が、徳川幕府の命令で、毛利家、浅野家ら5大名のお手伝い普請で再建されたことは初めて知った。

お手伝い普請は、あくまでも徳川幕府の命令である。5大名の毛利・浅野家らは命令されて資金を供出し、泉岳寺再建の一端を担ったのだ。あくまで、この泉岳寺の主体は徳川家であり、徳川家にとって大切な寺であったのだ。

家康が葬られている寺や、家康に縁のある寺は数多い。出身地の岡崎や駿府には、家康が創建した寺がある。しかし、この江戸市内に、家康が創建した寺など他にあるのだろうか。

徳川家にとってそれほど大切な泉岳寺に、犯罪者の赤穂浪士が埋葬された。それも1人や2人ではない。47人という集団の墓が、この泉岳寺の敷地を大きく占めてしまった。

単に浅野家の江戸での菩提寺だったから、では説明にならない。徳川幕府の許可、いや徳川幕府の積極的な同意がなければ、それでなくても狭い泉岳寺に四十七士がまとまって埋葬されることなどありえない。

泉岳寺の交差点にて

「泉岳寺は家康が創建した」ことをどう受け止めたらよいのか分からないまま、四十七士の墓に線香をあげ、泉岳寺を後にした。

泉岳寺の坂を下り、第一京浜を渡った交差点で、泉岳寺を振り返り、中門を眺めた。そして、ふっと右を向くと、高輪の大木戸が目に入った。あわてて左に顔を向けると、品川駅の手前にある歩道橋が見えた。

泉岳寺は、高輪大木戸と品川に挟まれていた。泉岳寺と高輪大木戸と品川方面を、何度も何度も交互に見直しているうちに、私は深い息と同時に、「そうか」とつぶやいてしまった。

四十七士の泉岳寺への埋葬は、徳川幕府の巧妙な仕掛けだったのだ。

徳川幕府が許可したとか、同意したどころではない。徳川幕府の指示で、四十七士の埋葬地にこの泉岳寺が選ばれたのだ。

それは、この討ち入りを忠義の物語として仕上げ、日本国中に広めていくためであった。

主君の浅野内匠頭と同じ泉岳寺に埋葬することで、四十七士の忠義が明確に表現される。四十七士の忠義を強調することにより、徳川幕府の真の狙いであった「吉良家の取り潰し」の企みが秘匿できる。

また、この江戸の入口の泉岳寺で弔うことによって、この忠義の物語は、全国津々浦々に伝わっていく。江戸幕府誕生から100年を経た元禄時代、全国の大名の徳川幕府への忠誠心は緩みつつあった。主君の仇を討った赤穂浪士の「忠義」は、徳川幕府にとっては極めて都合がよかった。この主君への「忠誠心」を広めることは、幕藩体制の強化となり、徳川幕府の安泰に通じる。

徳川幕府はこの狙いのために、徳川家にとって大切な泉岳寺に四十七士を埋葬することとした。

この日、泉岳寺の交差点に来てから、私に語りかけていた何かがこれであった。

高輪大木戸と品川宿の闇

品川宿は、大切な宿場であった。旅立つ人々の最初の宿であり、江戸入りする旅人の最後の宿であった。さらに、品川宿は街道の宿でもあったが、それ以上に、全国から航海してきた船の停泊地でもあった。

船が運んできた荷物は、ここで小舟に積み替えられ、江戸市内へ運搬されていく。次ページの**写真3**は広重の芝浦である。品川から江戸市内へ小舟が次々と荷物を運搬していく様子が描かれている。

乗船客は品川で船を下り、品川宿で一泊し、高輪大木戸を潜り抜けて、江戸市内に入っていく。つまり、この品川宿と高輪大木戸の間は、街道を行く人と、海を行く全ての人々が通過する場所であった。

旅人だけではない。ここは旅立つ知人の見送りと、江戸入りする知人の出迎えでごった返していた。街道に沿って茶屋や土産物屋が立ち並び、春は花見、夏は磯遊び、秋は月見で、江戸有数の賑わいの場所であった。

その賑わいは179ページの**写真4**の『江戸名所図会』の《高輪大木戸》でも伝わってくる。

この賑わいの高輪大木戸と品川宿の間に、泉岳寺があったのだ。

写真3　『名所江戸百景』《芝うらの風景》(歌川広重)

資料提供:三菱東京ＵＦＪ銀行貨幣資料館

写真4　『江戸名所図会』《高輪大木戸》

所蔵：江戸東京博物館　Image：東京都歴史文化財団イメージアーカイブ

泉岳寺というテーマパーク

泉岳寺は、曹洞宗の江戸三大学舎であった。200人を超える学僧たちが学び、その後、ここから駒澤大学が生まれていった。近代になり旧東海道が拡張され、第一京浜となった。その際、泉岳寺の総門は取り壊されてしまったが、江戸時代の泉岳寺の総門は、東海道に直接面していたのだ。

これから旅立つ人々も、江戸入りする人々も、泉岳寺の総門を見ると、四十七士の話となり、総門をくぐって四十七士の墓に向かった。

墓への途中には、吉良上野介の首を洗った首洗い井戸もある。浅野内匠頭の大きい墓と、大石内蔵助の墓を中心として、同じ形の四十七士の墓が整然と並んでいる。この泉岳寺の空間そのものが、まるで忠臣蔵の芝居の舞台のようだ。現代風に言えば、忠臣蔵のテーマパークだ。

人々は四十七士の墓に線香を供え、彼らの冥福と自分たちの旅の無事を祈った。寺から出ると、東海道沿いには忠臣蔵の絵本や浮世絵を売る店が軒を並べていた。江戸の土産として、これ以上のものはない。

旅する人々によって、忠臣蔵は全国各地で語られていった。旅人から忠臣蔵を聞いた各地の人々は、四十七士の討ち入りまでの苦難と、討ち入りの成功と、切腹に涙した。

✣──アイデンティティーを生んだ物語

忠臣蔵は、大切な点が曖昧な物語だ。その発端となった松の廊下の刃傷沙汰が、なぜ起こったのかが分からない。この出発点の曖昧さゆえに、忠臣蔵はいくつものストーリーで語られることとなった。しかし、いくつものストーリーはあったが、底に流れる四十七士の「忠義」だけは一貫していた。

徳川幕府の狙いは見事に当たった。日本人の心の中に、「忠義」の価値観が深く埋め込まれていった。ところが、この徳川幕府の狙いをはるかに超えて、忠臣蔵は日本人に大きな影響を与えていた。

忠臣蔵の舞台は、春の桜の下での浅野内匠頭の切腹から雪の討ち入りまで、四季が移り変わる。その見事とも思える四季の流れの中で、浅野内匠頭、吉良上野介そして赤穂四十七士と登場人物全員の命が散っていく。流れゆく四季の中で、はかない命の人間が忠義を貫き通す。この忠臣蔵の時の流れとはかない命とけなげな人々の物語に、日本人は強く引きつけられていった。

泉岳寺から発信されたこの物語は、日本列島に住む人々の共通の心の物語になった。

国民のアイデンティティーとは、共通の情報をもち、共通の物語を持つことだ。

忠臣蔵の物語は、日本人のアイデンティティーそのものとなっていった。

図１　旧東海道・泉岳寺周辺略図

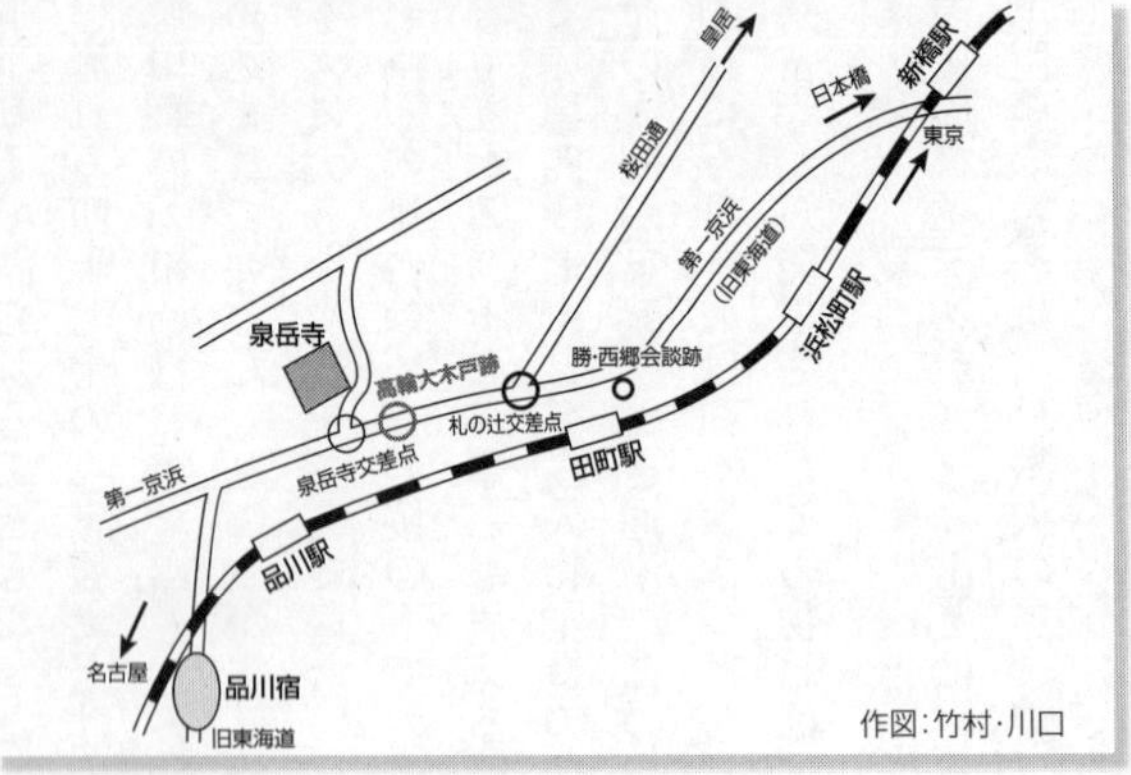

高輪大木戸の移動の謎

本書を仕上げるため、深夜、インターネットを使って年号や地名や由来の裏付け作業をしていた。高輪大木戸を検索していると「高輪大木戸の移転」という言葉が目に入った。

高輪大木戸の前身は、今の「札の辻」交差点にあったが、１７１０年、その「札の辻」から現在の「高輪」に移設されたという。**図１**が、辻の札から品川宿へかけての略図である。

１７１０年は、赤穂浪士の討ち入りの８年後である。１７２４年に移設されたとの記述もあるが、ともかく徳川幕府は赤穂浪士の討ち入り後に、「札の辻」にあった大木戸をわざわざ泉岳寺の直近にもってきたのだ。

江戸の発展がそうさせた、という説明がある。しかし、江戸地図を見れば分かるが、高輪の東海道周辺は大名の下屋敷地域である。その東海道筋で大木戸が簡単に移転されたりはしない。高輪大木戸以外の四谷、板橋の大木戸が、江戸の拡大で移動したこともない。やはり、この高輪大木戸の移転は普通ではない。

しかし、この大木戸移転も徳川幕府の仕掛けと考えると納得がいく。

徳川幕府の最後の仕掛け

もし、大木戸が「札の辻」にあれば、早朝、品川宿を出て江戸に向かう旅人たちは、札の辻の大木戸を目指して急ぐ。品川宿を出立して泉岳寺を横目に見るが、札の辻大木戸はまだ1km近くも先にある。つい泉岳寺を通り過ぎて、先を急いでしまう。

江戸から出る旅人も同様だ。札の辻大木戸を通り抜けても、まだ品川宿は見えない。陽が低くなれば、つい泉岳寺を通り過ぎて、品川宿を目指して急いでしまう。しかし、大木戸が泉岳寺の直近の「高輪」にあれば、江戸に入る旅人は、大木戸の手前で滞留する。江戸から出る旅人も、高輪大木戸を抜け、品川宿が視線に入ればホッとして歩を緩める。

人々が滞留し、歩を緩める場所。その場所に、泉岳寺の総門が扉を開いているのだ。それはまるで泉岳寺に入れ、といわんばかりであった。

大木戸の「札の辻」から「高輪」への移転という、江戸幕府の小細工ともいえる仕掛けが、透けて見えてくる。平和な時代、江戸城内の頭の良い幕府の役人たちはこのような小細工をあてでもないこうでもないと考えていたのだろう。しかし、この小細工は日本人の精神の深部に大きな影響を与えた。

忠臣蔵の物語に流れる四季の流れと、人の命のはかなさと、主君に対するけなげな忠誠心は、私の心にも強く根を張っている。人々が心の中で大切にしている価値観も、このような歴史上の些細なことに拠っているのだろうか。

第9章

なぜ家康は江戸入り直後に小名木川を造ったか

関東制圧作戦とアウトバーン

２０１２年に東京の新しい名所「スカイツリー」が開業してから隅田川の遊覧ツアーが盛んになっている。その隅田川ツアーのルートに中に小名木川《おなぎがわ》が組み込まれていて、その説明も「行徳《ぎょうとく》から江戸へ塩を運ぶ運河」とされている。江戸学の関係者は皆「小名木川は塩の道」という見解をとっている。しかし、その説は本当なのか？

この小名木川は、家康が江戸入りした直後に、取るものも取りあえず建造した水路である。なぜ家康はそれほどこの小名木川の建造を急いだのか？　小名木川の目的は何だったのか？

その答えは、21世紀の小名木川を見ている限り出てこない。小名木川が建造された４００年前の江戸湾の地形を見る必要がある。４００年前の江戸湾の地形を見ていると、自ずと小名木川の建設目的が分かってくる。

この小名木川の建造目的を理解すると、江戸に入城した家康の新しい歴史の物語も浮かび上がってくる。

「塩の道」小名木川

２０１２年5月22日、６３４ｍの東京スカイツリーが開業した。

この東京スカイツリーを川から見るというツアーが誕生している。日本橋のたもとが出発地というので7月の３連休に日本橋へ向かった。

以前、ボートで日本橋川を遡った時には、日本橋付近は暗くて寂しかった。しかし、その暗い寂しい日本橋川の風景は様変わりしていた。いくつもの遊覧会社が入り乱れて人々を誘い、次から次へと客たちが遊覧船に乗り込んでいた。

私もその一隻に飛び乗り隅田川に向かった。日本橋川から隅田川に出て北上する。小名木川の入口でUターンして、河口の佃島《つくだじま》まで行って戻ってくる45分のコースだ。

船会社は気がついていないようだったが、この小名木川から佃島のコースは徳川家康の重要な歴史見学コースとなっていた。

小名木川は江東区を東西に流れている（１９７ページの**図1**参照）。一級河川の荒川の一支流で、典型的な都市河川である。

この小名木川は自然の川ではない。江戸初期、徳川家康によって造られた人工の運河である。昭和の戦後以降は舟運がすたれたが、江戸、明治、大正そして昭和期を通じて、ここは物流の幹線運河であった。

小名木川は、隅田川（今の荒川）と中川を結ぶ水路として造られた。中川まで行けば、その先は船堀川（後の新川）があり、その船堀川を使えば江戸川（当時の利根川）の行徳まで舟で行くことができた。

当時、江戸川河口の行徳には塩田があり、その塩田を押さえ、塩を江戸へ運び込むために小名木川は造られた、と言われている。小名木川が「塩の道」と呼ばれている所以《ゆえん》である。

行徳の塩田が消滅してからも、利根川上流からの物資が、この小名木川を通じて江戸に運び込まれた。江戸時代、小名木川は人々と物資が行き交う賑やかな運河であった。

小名木川のなぞなぞ

広重も、この小名木川を描いている。

次ページの**写真1**が《小奈木川五本まつ》である。人々を乗せた舟が、小名木川の五本松の下を進んでいく。乗客の一人が身を乗り出して、手ぬぐいを濡らしている。

江戸の舟旅のほのぼのとした雰囲気で心が和んでいく。広重の絵の中でも、好きな一枚である。

しかし、この変哲もない絵におかしな点があった。

そのおかしな点を発見したのは三浦裕・日本大学名誉教授である。先生の指摘がなければ、私は小名木川の謎に出会うことはなかった。

三浦先生はある「水運」の講演会で〝なぞなぞ〟を出した。

先生は、広重の絵以外にもう一枚の小名木川の絵を示した。もう一つの小名木川の絵は191ページの**写真2**で、『江戸名所図会《ずえ》』のうちの《小名木川・五本松》

写真１　『名所江戸百景』《小奈木川五本まつ》(歌川広重)

資料提供：三菱東京ＵＦＪ銀行貨幣資料館

写真2　『江戸名所図会』《小名木川・五本松》

所蔵：江戸東京博物館　Image：東京都歴史文化財団イメージアーカイブ

である。

この二枚の絵は、同じ小名木川の五本松を描いている。五本松の位置からみて、二枚とも江戸から千葉方面に向かって描かれている。しかし、ある点で大きく異なっている。小名木川の曲がり方が異なっているのだ。

広重の絵は右へスライスしている。江戸名所図会は左へフックしている。

これは一体どういうことなのか？　どちらが正しいのか？　というなぞなぞであった。

三浦先生のなぞかけは「この謎は、江戸の歴史が好きで、広重が好きな竹村さんが解いてくれるでしょう」という言葉で終わった。

広重の絵のおかしな点を指摘され、私が解くでしょうと言われたことが、小名木川を調べ始めるきっかけとなった。

なぞなぞから謎へ

今の小名木川は、真っ直ぐに東西に流れていて、スライスもフックもしていない。

『江戸名所図会』は、江戸研究では最も著名な資料の一つである。出版されたのは1834年から1836年にかけてである。一方、江戸東京博物館によると、歌川広重が『名所江戸百景』を出版したのは1857年である。『江戸名所図会』より、広重は20年ほど後に描いたことになる。この20年間でルートが変わったとも思えない。

改めて、江戸時代の古地図を調べた。ところが、江戸のどの時代の図面でも、小名木川は真っ直ぐに描かれていた。曲がって描かれている図面はなかった。

これではっきりした。小名木川は江戸時代からずーっと真っ直ぐだった。『江戸名所図会』で描かれた小名木川も、広重の小奈木川もフィクションだった。両者とも、わざと小名木川を曲げて描いたのだ。絵の構図上、川を曲げて描いたほうが遠近感は出しやすい。そのため、真っ直ぐの小名木川を、わざと曲げて描いたのだ。

時間的にみると、『江戸名所図会』が先に曲げて描いたのは間違いない。その20年後、広重は小名木川の五本松の下に立った。スケッチをしようと小名木川を見ると、小名木川は真っ直ぐであった。あの有名な『江戸名所図会』で描かれている小名木川とは違う。

同じ絵師の広重にはピンときたはずだ。20年前の『江戸名所図会』の画家は、わざと小名木川を曲げて、遠近感を出したのだ。広重は、直線の小名木川を描くこともできた。しかし、先輩の画家に敬意を払って、小名木川を曲げて描くことにした。ただし、『江戸名所図会』はフックしているので、自分はスライスさせることにした。広重は、フィクションの構図の中に、さらなる遊びのフィクションを仕掛けたのだ。

歴史上、小名木川の五本松の絵は二つ残った。フックとスライスの小名木川であった。二つを合わせると、結果として、小名木川は真っ直ぐになった。

これが小名木川のなぞなぞの答えであった。

しかし、この小名木川のなぞなぞを調べているうちに、別の謎にぶつかってしまったのだ。

なぜ、小名木川は造られたのか？　という謎であった。

塩のために造ったのか？

家康が江戸に入って最初に手がけた工事が、道三堀《どうさんぼり》と小名木川の運河工事であった。

江戸川の河口の行徳には、鎌倉時代から塩田があり、戦国時代は北条氏に年貢として塩が納められていた。家康が小名木川水路を建設したのは、「行徳の塩を押さえる」ためであった。これは、江戸学の分野では動かぬ定説となっている。

人間にとって塩は必要不可欠である。当時、塩の生産地は限られていて貴重であった。戦国時代の武田信玄と上杉謙信の塩をめぐる逸話もあり、「行徳の塩」説は人々をうなずかせる。

私は、この説に疑問を持ってしまったのだ。

家康は江戸に入り、とるものも取りあえず、小名木川を造っている。

家康はそれほど塩に困っていたのか？

決して、そのようなことはない！　決して、家康は塩に困っていなかった。

すでに、家康は自分の自由になる塩田を押さえていた。それは、吉良領の塩田であった。

愛知県の矢作川の河口には、吉良家の塩田があった。その吉良家は１５６０年代に松平家にうち負かされたが、１５７９年から家康に取り立てられ、有力な配下となっていた。

これは赤穂浪士に関連して、徳川家と吉良家の古い因縁を調べた時に得た知識であった。

もし、家康が塩を欲しければ、吉良領の塩田からいくらでも手に入った。

その家康が、江戸入りして最優先のインフラとして「塩のため」小名木川を造った、という説に納得がいかなかったのだ。

――小名木川の絵

休日、久しぶりに古本屋をぶらぶら歩いていた。ふと、鈴木理生編著の『東京の地理がわかる事典』(日本実業出版社)が目に入った。ぱらぱらとめくると、江戸の古地図がわかりやすく書き直されている楽しい本であった。

帰宅してさっそく本を読み始めた。道三堀や小名木川の建設も記述されていた。江戸研究の第一人者の鈴木氏も、小名木川は行徳の塩を運搬するため、と説明していた。

しかし、私の目を奪ったのが**図1**であった。

この図には、江戸初期の江戸湾の川と海岸が描かれていた。この絵のなかで、小名木川は海岸線ぎりぎりに描かれている。小名木川はこのような海岸沿いに造られ

図１　江戸初期の河川及び海岸

出典：鈴木理生『幻の江戸百年』筑摩書房　作図：竹村・松野

図２　江戸初期の小名木川と江戸湾

作図：竹村・松野

ていたのだ。そのことを改めて知った。

この図を見ているうちに、いつの間にか鉛筆を手にして、小名木川の略図を描きだしていた。

頭の中の霞が晴れていく予感がした。自分で描いた絵に、さらに海の波を描いてみた。その瞬間、霞がすーっと晴れていった。

家康が小名木川を建設した理由、それが分かった瞬間であった。

その絵をきれいに書き直したのが前ページの**図2**である。

1590年の天下統一

家康が江戸入りした1590年は、豊臣秀吉の絶頂期であった。

1582年、秀吉は毛利家と手を組み、中国地方を制した。1585年、長宗我部を降伏させ四国を制した。1587年、島津征伐で九州も制した。そして、家康と連合して北条攻めを行い、1590年、小田原城を開城させて関東を制した。

つまり、秀吉は天下統一を1590年に行ったのだ。

秀吉が唯一敗北を喫している大名は、家康だけとなった。６年前の１５８４年、小牧・長久手の戦いで、秀吉は家康に敗北していた。秀吉はその家康を、１５９０年、日本のはずれの江戸へ転封してしまった。

北条攻めの報奨という名目であったが、箱根を越えた、さらなる東の江戸への転封は、事実上の放逐であった。

秀吉も家康もお互いに、両者はいつか戦場であいまみえる、と予想していたのであろう。

家康は未知の領土である関東の地で、万全の体制を敷かなければならなかった。それは一刻の猶予もなかった。天下を取った秀吉は、次第に獰猛《どうもう》な性格を現わし、無謀な朝鮮出兵の命令など暴君の姿を見せ始めていた。

秀吉が江戸へ攻め込んでくるという危機感の中で、関東統治を急がねばならなかった。

その関東は戦国時代の１００年近く、北条氏の統治下にあった。１５９０年に北条氏は小田原城を明け渡したとはいえ、未だ関東一円は北条氏一党の影響下にあった。一刻も早く関東平野に散っている北条氏一党を完全に支配する。これが家康にとっての最優先事項であった。

ところが、この新しい領地の関東平野は途方もない厳しい問題を家康に突きつけていた。

関東の湿地

当時、江戸湾には荒川、利根川そして渡良瀬川が流れ込んでいた。もともと関東平野は縄文時代には海であった。その後、海が後退すると、3本の大河川が運ぶ土砂が堆積して平野が形成されていった。

江戸湾に面したこの関東平野は水はけが悪い。雨が少しでも降ると、関東平野は水浸しになり、その水はなかなか引かなかった。当時の関東平野は広大な湿地帯であった。

この広大な関東平野の各地に散っている北条氏一党を、いかに早く征するか。各地の北条氏の勢力を、陸路を伝って征するなど、気の遠くなるほどの困難と時間が必要であった。

家康には時間がなかった。天下分け目の戦いは、そこまで近づいていた。家康はこの関東の湿地帯を目の前にして、逆に、この湿地帯を利用することを思いついた。水路を伝って関東を征する、という発想であった。

江戸城の直下には日比谷の入江が入り込んでいた。この前面に展開している干潟の江戸前島に水路を掘る。その水路から隅田川に出る。その水路が、道三堀であった。

隅田川から中川までは、海岸線の干潟の内側に水路を掘る。これが小名木川であった。中川からは船堀川を通って江戸川まで行ける。

この水路を使えば、江戸から千葉の海岸一帯を簡単に征することができた。

さらに、隅田川を上れば、荒川上流域の埼玉を征することができた。中川や江戸川を上れば、利根川上流域の千葉、茨城、栃木、群馬一帯を征することができた。

これら水路網を使えば、あっという間に関東一円を征することができたのだ。

何百、何千という徳川の武将たちが、次々と水路を伝って北条氏一党の砦に到達した。北条氏一党は、完膚《かんぷ》なきまでに徳川勢に呑まれてしまった。

家康は関東を制した。

アウトバーン

小名木川は、海の波に影響されないで進軍する軍事用の高速水路であった。家康は、このためにわざわざ海岸線の内側の干潟に水路を建設したのだ。

行徳の塩田を征するだけなら、このような水路など不必要である。天気の良い日を狙って、海岸線沿いの海を伝って行徳まで行けばよい。塩田を押さえるなら、それで十分である。

小名木川は行徳の塩田を征するためではなかった。

家康は江戸でさまざまな工事を行っている。しかし、そのほとんどの工事は、1600年の関ヶ原の戦いで勝利した以降に実施されている。それは天下を制した権力を背景に、各地の大名に担わせたお手伝い普請であった。

しかし、この小名木川の工事は1590年に江戸入りした直後に行われている。家康の関ヶ原の戦い以前になされたこの工事は、家康の自前の資金で行われている。家康にとっては、小名木川はそれほど重要な水路であった。

小名木川は30年ほど一般市民は通過できなかった、と伝わっている。この小名木川の水路は軍事水路であり、徳川幕府の生命線であったからだ。

ヒットラーは、ドイツ及びその周辺を制圧する高速道路のアウトバーンを建設した。しかし、それより300年以上も前の日本で、家康は関東を制圧するため、水路のアウトバーンを構築していた。

佃島の秘密

この小名木川の謎が解けると、隅田川の河口にある佃島の謎も解けてくる。

1590年、家康は江戸に入る際、わざわざ大坂の佃村の漁民33人を同行している。その大坂の漁民たちが住み着いたのが、隅田川の河口の中洲であった。

なぜ、家康はわざわざ大坂から漁民を連れてきたのか？

1582年、明智光秀が本能寺で織田信長を討った。その時、織田信長の盟友の家康は、大坂の堺に滞在していた。家康は敵地の中で孤立した。家康の生涯最大の危機であったと云われている。

この家康の危機を救ったのが、大坂の佃村の森孫右衛門らの漁民であった。彼らは、舟で家康を大坂から脱出させた。家康にとって、大坂の佃村の漁民は、心から信頼できる命の恩人となった。

1590年に江戸に入った家康は、関東一円を水運で制覇するため、小名木川という軍事用の高速水路を造った。しかし、その水路を往来する舟団の操縦を、関東の漁民などには任せられなかった。なぜなら、関東の漁民は、100年間北条氏の配下にあったからだ。

舟上では舟を操縦する者が、乗舟者たちの命運を握る。その重要な舟の操縦を、北条氏の息がかかった漁民になど任せられない。そのため、命の恩人で信用できる大坂佃村の漁民を江戸に連れてきて、徳川の水軍の操縦を任せたのだ。

その大坂の漁民たちが住んだ洲は、いつか佃島と呼ばれるようになった。

これが小名木川と佃島の誕生の新しい物語である。この物語が誕生したのは**図2**のおかげであった。

江戸から現代にかけて、海岸線は徹底的に埋め立てられた。今の小名木川から東京湾へかけての略図を**図3**に示す。現在の姿を見ているだけでは、小名木川の誕生

図3　現在の小名木川と東京湾

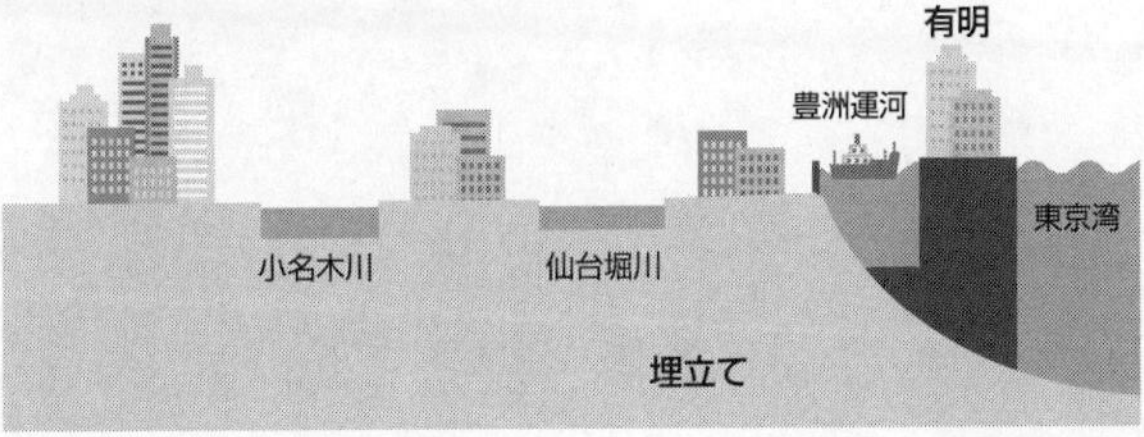

作図：竹村・山田

物語は生まれない。

江戸の260年間、日本には平和な時が流れた。小名木川は各地から江戸へ食糧を運び込み、江戸からは下肥を農村へ運び出す水路となっていった。

小名木川が軍事目的だったことなどすっかり忘れ去られ、江戸の人々の生活を支える身近なインフラへと姿を変えていた。

広重や『江戸名所図会』で描かれた小名木川の姿は、血なまぐさい時代から200年以上の時を経ていた。そしてその時は激動の近代の幕開けの直前であった。

広重の絵はなぜ心が温まり、和むのかがやっとわかった。

日本史のなかで二度とないほど平和な時代を、広重は描いていたからだ。

第10章

江戸100万人の飲み水をなぜ確保できたか

忘れられたダム「溜池」

大都市の弱点は「飲み水」である。歴史上の世界のどの大都市も飲み水で苦労している。都市が誕生した当初は近くの川や湖で水は確保されている。しかし、いつしか必ず大都市は水不足に苦しんでいく。

なぜなら、どの都市も人口が膨張する宿命を負っている。都市は生産の場ではない。人々のサービスで成立している場である。サービスはサービスを生み出す。都市は止めどもなく新しいサービスを生み出し、サービスに携わる人々を必要としていく。

いくら権力が制御しようとも、都市人口の膨張は避けられない。そのため世界の多くの都市が水不足に陥り、それを解決できず衰退していった。

18世紀、江戸は世界最大の100万人都市となった。家康が秀吉に転封を命じられたその江戸は、もともと水がなかった。水のない江戸でいかに水を確保するか。それが大都市・江戸の最大の課題となった。

家康が開始した水確保の戦いは、21世紀の巨大都市の東京に引き継がれていくこととなった。

広重の《虎ノ門外あふひ坂》

台風が関東地方を直撃すると、テレビニュースはよく千代田区の溜池交差点の様子を報じる。東京で大雨が降ると溜池、赤坂辺りはすぐ水溜まりになり、車がしぶきをあげて走り去っていく。水浸しの溜池交差点は絵になり、ここは東京の大雨の歳時記の舞台となっている。

「江戸時代、この溜池交差点はダム湖の下だった」などと言っても誰も信用しないだろう。しかし、間違いなくこの溜池交差点から赤坂一帯はつい120年前までダム湖の下だったのだ。

まるでSFのような話だ。

数年前、時間つぶしに広重の画集『名所江戸百景』をぱらぱらとめくっていた。そのとき一枚の絵で手が止まった。それは211ページの**写真1**の《虎ノ門外あふひ坂》であった。

この《虎ノ門外あふひ坂》はもう何度も見ていた。それまでは、この絵の金刀比羅宮に願かけ寒行する2人の裸の職人とそば屋の親父さんと2匹の猫に視線を奪われていた。

もちろん背景の水がどうどうと音を立てて流れ落ちている滝を見てはいた。しかし、この背景の滝の重要な意味を見過ごしていた。この絵で手が止まったのは、この滝の意味に気がついたからだ。この滝は自然の滝ではない。これは人工の滝であった。その当たり前のことに気がついたのだ。

そう、この絵には堰堤《えんてい》が描かれている。この堰堤は切り出した石を積み練り固めて造られている、ダム専門用語でいう巨石ダムなのだ。絵の構図から推定すると、高さ6m以上の立派なダムが江戸の真ん中にあったのだ。

絵の場所は港区の虎ノ門である。裸の2人の職人が向かうのは今も虎ノ門にある金刀比羅宮で、左右にある小高い丘の地形から判断すると堰堤があった地点は現在の霞が関ビルの前あたりであろう。猫が座っている坂はアメリカ大使館へ向かう坂で、反対側に光る家屋があるのは首相官邸の丘であろう。

この地点にダム堰堤があれば、赤坂一帯が貯水池となっていたはずだ。まさに、溜池交差点から赤坂にかけての繁華街は、ついこの間までダム湖の「溜池」であっ

写真１　『名所江戸百景』《虎ノ門外あふひ坂》（歌川広重）

資料提供：三菱東京ＵＦＪ銀行貨幣資料館

たのだ。

✣──「溜池」

次の休日、虎ノ門に向かった。改めて溜池交差点に立ち周囲を眺めた。すでに地形はさんざん削られ改変されている。注意しなければ周辺の起伏は分からない。溜池から見ると虎ノ門方面と赤坂方面はほとんど平らである。ビルのためにこの溜池交差点から赤坂見附は見通せないが、赤坂見附の交差点からは登り坂となっている。溜池交差点で交差する六本木通りの霞ヶ関方面と六本木方面は、両方とも登り地形が確認できる。

たしかに溜池交差点は窪地になっている。ここを中心として大きな貯水池があったことは想像できる。そして、それは思いのほか広大な貯水池だったことに圧倒されてしまう。

溜池交差点から東へ500m離れたところに虎ノ門交差点がある。虎ノ門交差点から広重の絵を思い浮かべてみた。広重はここで座り込み、赤坂方面を見ながら写生したのだろう。

この虎ノ門堰堤の貯水池は今では交通量の多い「外堀通り」となっている。名前からわかるようにこの貯水池は江戸城の外堀であった。この貯水池は江戸城の堀であったが、この貯水池にはもう一つ重要な使命があった。

それは江戸市民の飲料水を供給することであった。

玉川上水の完成以前

江戸の飲み水が玉川上水だったことはよく知られている。

玉川兄弟の力で完成したという話はともかく、玉川上水は1653年以降、多摩川から江戸周辺の農業用水と江戸市民の飲料水を送り続けた。この玉川上水が世界最大の百万都市・江戸の繁栄を支え続けた基幹インフラであったことは間違いない。

しかし、ここで疑問が出てくる。この玉川上水の完成は1653年である。しかし、家康が江戸入りしたのは1590年で、江戸幕府の開設は1603年である。

玉川上水完成までの半世紀の間、徳川一党と江戸市民は一体どこの水を飲んでいたのかという疑問である。

1590年、徳川家康は秀吉の命令で江戸へ移封されることとなったが、当時の江戸は人家がぽつんぽつんと点在する寂しい寒村であった。江戸城のある武蔵野台地の所々に湧水はあった。しかし、大軍を擁する徳川勢の飲料水としてはこの湧水では絶対的に不足していた。

武蔵野台地の東の端の低平地には利根川や荒川が江戸湾へ向かって流れ込んでいた。しかし、それらの川の水は飲み水としては使い物にならなかった。なぜなら、関東平野は限りなく平坦であり、江戸湾の海水は河口から逆流して入り込んでいた。そのため、川の水の塩分濃度は高く、飲料水としては使用できなかった。もしその川の水が使えても、低い土地を流れる水を高台に汲み上げるポンプなどなかった。

徳川家康が長期政権を樹立する地として、江戸の水不足は決定的な障害となった。

家康が江戸入りに際して最初にやるべきこと、それは清浄な飲料水を確保することであった。

江戸の都市づくり

１５９０年の江戸入りを前に、家康は最も信頼していた家臣、大久保藤五郎に江戸の上水の確保を命じたと伝わっている。大久保藤五郎が引いた上水が、後の神田上水の前身の小石川上水であった。この小石川上水の水源や配水路の詳細は現在では不明であるが、ともかく当面の飲み水は確保され、家康は江戸入りすることとなった。大久保藤五郎はその上水道建設の貢献から、水の主の「主水《もんど》」という名を家康から授かったという。

10年後の１６００年、天下分け目の関ヶ原の戦いに家康は勝利した。いよいよ江戸で首都建設が本格化していった。そのなかで有名なのが日比谷の埋め立てである。これは神田の高台を削り、日比谷の入江を埋め立て、ここに家臣たちの住居を配置し、引き込み運河に荷揚場を建設していった。

この時期、利根川東遷《とうせん》の大規模な治水工事も開始されている。これは江戸湾に流れ込んでいた利根川を銚子へ導き、江戸を洪水から守り、同時に関東の湿地帯を乾田化しようとするものであった。

図1は当時の江戸の地図である。日比谷の入江と湿地帯がわかりやすく示されている。

この江戸の首都建設は一気に進んだが、これらの工事は家康に恭順の意を表わす全国の大名によって行われた。後に「お手伝い普請」と呼ばれ、徳川幕府の全国大名支配の強力な一手法となった。

この日比谷の埋め立てや利根川東遷など歴史上の華々しい工事に埋もれた、一つの重要なお手伝い普請があった。

図１　江戸の古地図

正井泰夫氏作成

それが、江戸の真ん中で行われたダム建設であった。

江戸文明を支えた堰堤

1606年、家康は和歌山藩の浅野家に堰堤、すなわちダム建設を命じた。小石川上水だけに頼っていた江戸の水は目に見えて不足していった。そのため堰堤を建設し、その貯水池で江戸の飲料水を確保しようというものであった。

もともと現在の赤坂から溜池にかけては低湿地で、清水谷公園からは清浄な水が湧き出ていた。さらに、その下流の虎ノ門付近は狭窄部《きょうさくぶ》となっていた。この地形に目をつけた家康が浅野家に堰堤建設を命じたのだ。ここの狭窄部に堰堤を建設すれば飲料水の貯水池が誕生する。さらにその水面は江戸城を防御する堀にも兼用できる。

この虎ノ門堰堤は日本最初の都市のための多目的ダムとなった。その堰堤の姿が**写真1**の広重の《虎ノ門外あふひ坂》に見事に描かれている。

この堰堤が完成して半世紀後に総延長43kmの玉川上水が完成した。玉川上水はこの虎ノ門堰堤の溜池に連結された。多摩川の水が豊富な時にこの溜池に水を貯めておき、多摩川が渇水になった時この溜池の水を使うこととした。

現代と全く変わらない近代的な水資源制御システムが構築されたのだ。

江戸時代を通じ、この虎ノ門堰堤の貯水池は、江戸市民100万人の命の水を供給し続けた。

消えたダム

明治時代になり、江戸が東京と改まっても、玉川上水と虎ノ門堰堤は東京市民に水を供給し続けた。しかし、明治の近代化は東京への急激な人口流入を招いた。人口急増で住居環境は急速に悪化し、溜池の水質は一気に悪化していった。

1886年、東京でコレラが大流行した。近代水道事業の必要性が認識され、1898年に今の新宿西口の淀橋浄水場が完成すると、多摩川の水は溜池を通り過ぎて、淀橋浄水場へ直接送り込まれ、沈澱・濾過されることとなった。

溜池の水はさらに腐り、虎ノ門堰堤は人々の邪魔物になっていった。溜池は少しずつ埋め立てられ、堰堤もいつの間にか埋められてしまった。300年間、江戸と東京を支えた虎ノ門堰堤は消えた。それは東京市民の心から命の水の源が消えていった瞬間でもあった。

東京の膨張はとめどなかった。人口は200万人そして500万人も突破し、1000万人へと増大していった。多摩川の水は羽村堰《はむらぜき》で根こそぎ取水され、羽村堰の下流は賽《さい》の河原となっていった。

多摩川の上流に小河内《おごうち》ダムが建設され、それでも足りずに利根川から導水することとなった。利根川上流の山間集落を水没させ、東京都民のためのダムが建設された。

収奪する東京

今、東京都民は自分たちの飲料水がどこから来ているかを知らない。もし知っていても、その水量の膨大さは知らない。

現在、東京は利根川から1日に240万㎥の水を導水している。240万㎥といってもぴんとこない。甲子園球場を水で一杯にすると60万㎥である。だから、東京は毎日毎日、甲子園球場を満杯にしてその4杯分の水を利根川から導水しているのだ。いや、導水などという生易しい言葉は似合わない。収奪という激しい言葉が似合う。大都会による川の水の収奪である。

図2は利根川の水量の概念を表わしている。一番内側の四角は利根川の年間最小流量を表わし、一番外枠の四角は年間最大流量を表わしている。いかに最小と最大の流量の差が大きく、年間の流量変動が激しいかが分かる。

その最大と最小の間にある四角が、利根川から人間が取水している量である。この図はある矛盾を指し示している。それは最小流量より多い水など取水できない、ということだ。

この矛盾を埋めているのがダムなのだ。

図2　利根川(栗橋地点)の流況概念図

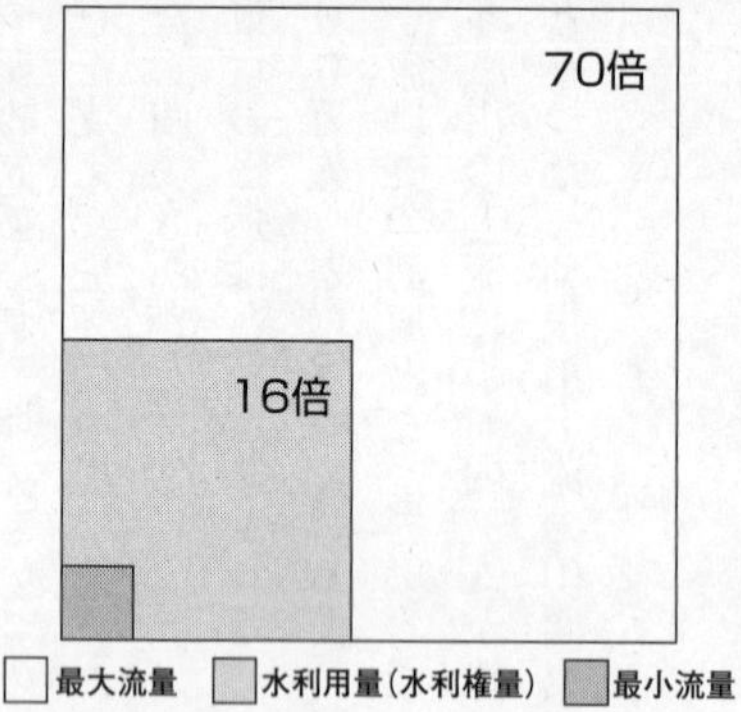

「平成3〜12年の流量年表」より国土交通省河川局作成

利根川の水が豊かな時に水を貯め、利根川が渇水になった時に水を放流するダムがあるからこそ、東京はこのような膨大な水量を消費できるのだ。

気候変動により降雨量がさらに激しく変動して、最小流量はさらに小さく、最大流量はさらに大きくなっていく。21世紀、人々の生命の源の「水」を貯留するダムの役割は大きくなることはあっても、小さくなることはない。

✣──東京の人々が失った「下部構造」と「日本人の心」

江戸時代、江戸は利根川を江戸湾から銚子へ追いやった。明治時代になり、東京は命の水源、溜池を都心から山奥へ追いやった。もう東京の人々は命の源の水源を見ることはない。

私は文明を支える下部構造のインフラに関心を持つ。江戸が東京となって失ったものの一番にあげるのが、江戸の街自身が持っていたインフラである。その筆頭が、命の源の水源「虎ノ門堰堤」である。

もし、虎ノ門堰堤が存在し、溜池が赤坂一帯に広がっていたら、人々は日々、命の水を肌で感じとっていただろう。溜池の水質を悪化させることは自分自身の命を傷つけることであり、21世紀の今、山奥のダムで貯水池の森林や水質が守られていることへの想像力が養われただろう。

虎ノ門堰堤の溜池は小河内ダムや八木沢ダムに比べたら蟻のように小さい。しかし、街の中にあった小さな堰堤が与える精神的効果は計り知れないほど大きい。

広重の《虎ノ門外あふひ坂》を見ていると無性に江戸が愛しくなる。

願かけの寒行をする健気な2人の職人の人生、屋台を担ぐそば屋の親父の人生、家路を急ぐ人々の人生、2匹の猫の命、それらが懸命に生きていたけなげさが愛しいのだろうか。

それとも、江戸に命の水を供給し続け、いつの間にか埋められ消えていった虎ノ門堰堤が愛しいのか。

私には判然としない。

第11章

なぜ吉原遊郭は移転したのか

ある江戸治水物語

1657年、振袖火事と呼ばれる明暦火災が発生した。江戸は焼き尽くされ10万人以上の命が奪われる大災害となった。その後、江戸幕府は徹底した江戸の都市改造を行った。その都市改造のなかで日本橋付近にあった吉原遊郭を浅草の日本堤へ移転させた。

幕府が吉原を移転させた理由は、江戸の中心にあると風紀上良くないからとか、出火の恐れがあるからとか言われている。しかし、風紀上や火災防止の観点からなら、中心地から離れた寂しい場所は江戸周辺にいくらでもあった。

「なぜ、移転先が浅草の日本堤だったか?」が説明できない。

その問いの答えを広重は《よし原日本堤》で描いていた。この浮世絵で江戸の安全を守るという徳川幕府の計画が鮮やかに表現されていた。

徳川幕府の計画は遊郭吉原だけではなかった。浅草対岸の向島の料亭街の出現と、浅草の猿若町の芝居小屋街の出現も、江戸を守るための幕府の企みであった。

広重の《よし原日本堤》の絵を見ていると、江戸を守るため幕府の役人たちが鳩首《きゅうしゅ》して知恵を絞っている様子が時空を超えて伝わってくる。

浅草寺の縁起絵

新年1月の成人の日、小春日和のなか浅草寺へ出かけた。正月は風邪で寝込み、近くの第一京浜を走る大学駅伝も見なかった。新年になって初めての外出らしい外出であった。

浅草寺は溢れんばかりの人出であった。人波に負け仲見世通りの左側をよろよろと歩いていた。伝法院を過ぎたところで、人に押されて立札にぶつかった。そこで初めてその立札の絵に気がつき、私の足は止まった。

それは浅草寺の由来を描いた縁起絵であった。

その絵は942年に平公雅《たいらのきんまさ》が伽藍《がらん》を建立、奉納したものであった。942年といえば平安時代である。それほど以前から浅草寺は存在していたのか、と驚いてしまった。私は浅草寺は江戸時代に建立されたと思い込んでいた。

立札の縁起絵は何枚か並んでいたので、人波に逆行して見過ごした立札に戻った。その立札の絵は「浅草寺の草創」とあった。飛鳥時代、土師中知《はじのなかとも》が浅草寺を創

写真1　浅草寺の縁起絵の立札

建したという。人波の中をさらに前の立札に戻った。それは「ご本尊の示現」とあり、飛鳥時代の628年、漁師の兄弟が仏像を漁網で拾い上げている絵であった。これが浅草寺のご本尊となった観世音菩薩像であるという。

さらにもう一枚の立札がその前にあった。それが一連の縁起絵の最初の絵であった。それは「浅草のあけぼの」とあった。入江の漁村で古代の人々が素朴な漁業と農耕を営んでいる様子が描かれていた。**写真1**は浅草寺の縁起絵の立札である。

江戸の拠点・浅草

縁起絵の冒頭に浅草の歴史が簡潔に記述されていた。そこには「浅草は利根川、荒川、入間川《いるまがわ》が運んだ土砂の堆積によって作られた。古墳時代末期に人々が住んでいたことは伝法院に残る石棺で示されている。漁民と農民が暮らす小さな村だったが、隅田川舟運による交通の要所としてあけぼのを迎えた」とあった。

奈良盆地で日本文明が誕生しつつあるころから浅草は存在していたのだ。

浅草といえば東京の下町である。東京の下町は縄文時代には海の下で、江戸時代も水はけの悪い湿地帯だったと思い込んでいた。しかし、浅草は新しい人工的な埋め立て地ではなかった。浅草は関東の大湿地帯の中で1000年以上の歴史を持つ、中洲状の小高い丘であったのだ。

江戸時代、浅草は重要な町であった。浅草は江戸の治水の最重要拠点であり、浅草は江戸文化の中心地でもあった。以前から浅草は重要だったと理解はしていた。

しかし、なぜ、浅草が江戸の治水と江戸文化の重要拠点だったのか、それがいま一つピンときていなかった。

それがこの縁起絵で理解できた。

古代から浅草は関東湿地帯の中の小高い地形だった。そのことを知ると徳川幕府の治水作戦の全容が理解でき、浅草が文化の中心となった理由がストンと腑に落ちた。

それと同時に、広重の《よし原日本堤》（239ページの**写真2**参照）が鮮やかに脳裏に浮かんできた。

江戸繁栄の鍵は荒川の治水

1590年、徳川家康は豊臣秀吉の命令で江戸に転封となった。家康は荒涼とした寒村の江戸に入った。当時、江戸を囲む関東は平野と言うより大湿地帯であった。利根川、荒川、入間川の全てが江戸湾に注ぎ込み、大雨が降れば何日も何日も冠水したままの土地であった。

家康はこの大湿地帯を江戸幕府の繁栄の土地にすべく立ち向かった。

その筆頭が利根川の流れを江戸湾から銚子に向ける、いわゆる利根川東遷の工事であった。1594年の会の川締切り工事を手始めに、赤堀川の開削、江戸川の開削などの河川工事が着手され、利根川を東へ東へと誘導する作戦が現実化していった。

利根川の制御に続いて実施すべきは荒川の制御であった。

荒川は現在の隅田川であり、江戸市中では大川とも呼ばれていた。この荒川は洪水で江戸を苦しめる反面、舟運で江戸と周辺農村を結ぶ大切な川であった。そのため、いくら洪水で暴れる荒っぽい川でも利根川のように流路を遠くへ移動させるわけにはいかなかった。

荒川、つまり隅田川の洪水をいかに制御するかが江戸繁栄の鍵となった。

なお、ここでは荒川を隅田川と呼ぶことにする。

江戸の治水工事

隅田川の洪水をいかに制御するかが、徳川幕府の大きな課題となった。

現代のように大型機械がない時代、隅田川の治水工事は至難の業であった。事実、首都・東京を守る抜本的な治水工事は300年後の昭和の代までもちこされることとなった。

近代日本が総力を挙げて建設した荒川放水路（現在の荒川）は1911年に始まり、1930年にやっと完成した。この放水路建設は我が国初の大型機械化工事であり、近代土木史の中でその偉業は燦然《さんぜん》と輝いている。

それに対して、江戸時代の人馬に頼る隅田川の治水工事は困難の連続であった。それは何度も大水が江戸を襲っていることからも分かる。隅田川を制御した最終的な堤防の姿は残っているが、そこへたどり着くまでの試行錯誤の歴史的記述は手に入っていない。

今となっては、江戸の人々が工夫しながら隅田川を制御していったことを推理する以外にない。

最も安全な浅草

治水の原始的かつ最も基本的な手法は「ある場所で水を溢れさせる」ことである。ある場所で洪水が溢れれば、それ以外の場所は助かる。ある特定の場所で洪水を溢れさせる手法は、時空を超えた治水の第一原則である。

治水は必ずその第一の原則から始まる。江戸の治水も溢れさせるという原則から始まった。

江戸を襲う隅田川は北西から流れてくる。河口は江戸湾の入江が深く入り込んでいて、その入江の奥に中洲の小丘があった。その小丘の上に江戸の最古の寺が建っていた。それが浅草寺であった。

徳川幕府はこの浅草寺に注目した。浅草寺が1000年の歴史を持っていることは、この一帯で最も安全な場所という証拠なのだ。その浅草寺を治水の拠点とする。

つまり、浅草寺の小丘から堤防を北西に延ばし、その堤防を今の三ノ輪から日暮里の高台にぶつける。この堤防で洪水を東へ誘導して隅田川の左岸で溢れさせ、隅田川の西の右岸に展開する江戸市街を守る。

1620年、徳川幕府はこの堤の建設を全国の諸藩に命じた。浅草から三ノ輪の高台まで高さ3m、堤の道幅は8mという大きな堤が、80余州の大名たちによって60日余りで完成したのだ。

日本中の大名たちがこの堤の建設に参加したので、この堤は「日本堤」と呼ばれるようになった。

「振袖火事」後の都市改造

天下は完全に徳川幕府のものとなった。江戸は繁栄し、隅田川の西の江戸市街は拡大し続けていった。この江戸の都市構造を変える決定的な出来事が発生した。それが「振袖火事」であった。

1657年の正月、本郷で火事が発生した。火は強風にあおられ本郷、神田、日本橋、京橋そして浅草を一気に焼き尽くし、10万人以上の命を奪うという壊滅的ダメージを与えた。

江戸幕府は江戸の復興に着手した。ここで江戸幕府は単なる災害復旧ではなく、その後の江戸200年の繁栄を支える抜本的な都市改造を行ったのだ。

まず、江戸中心部の区画整理を行い、密集した武家屋敷や町屋を整理し、防火帯として広小路を各所に設置した。これらの区画整理で移転することになった武家屋敷の代替地として、隅田川の対岸を充てることとした。

当時の武蔵国の江戸から見れば、隅田川の対岸は下総《しもうさ》国であった。隅田川の対岸は大雨のたびに水が溢れ、中洲が島のように点在していた。そのため江戸の人々は隅田川の対岸を「向島」と呼んでいた。

幕府はこの隅田川に初めて橋を架けることにした。武蔵国と下総国の両国を結ぶ橋なので両国橋と命名され、現在の墨田区と江東区が江戸に組み込まれていった。いよいよ世界一の大都市・江戸へと発展していく準備が整ったのだ。

江戸を守る遊水池システム

隅田川の対岸を江戸に取り込んだからには、もう隅田川の東の左岸で洪水を溢れさせておくわけにはいかない。他のどこかで水を溢れさせなければならない。

以前から隅田川の左岸には中洲づたいに熊谷《くまがや》へ続く街道の堤があった。徳川幕府

は この街道の堤を本格的な堤防に改築することとし、墨田堤から荒川堤、熊谷堤へと一連の堤防を強化していった。

日本堤とこの墨田堤・荒川堤・熊谷堤で囲む一帯で隅田川を溢れさせる。ここで洪水を溢れさせ、江戸に洪水を到達させない。現在でいう遊水池であった。

図1は日本堤と墨田・荒川・熊谷堤で江戸を守る遊水池システムを示している。

江戸幕府はこの堤防というハードインフラの整備を行った。

しかし、江戸幕府の凄さはこのハードインフラの整備ではない。このハードインフラの上にソフトウェアーを加味したところに江戸幕府の凄さがあった。

いかにして堤防を維持するか？

日本堤と墨田堤が江戸を守る生命線となった。ここが破堤すれば江戸の街は一瞬にして濁流に呑まれてしまう。

築造したこの堤を確実に維持し管理することが大切となった。堤防とは、それを築造する以上に維持管理することが重要な施設である。維持管理のソフトウェアー

図1 日本堤と墨田・荒川・熊谷堤による遊水池システム

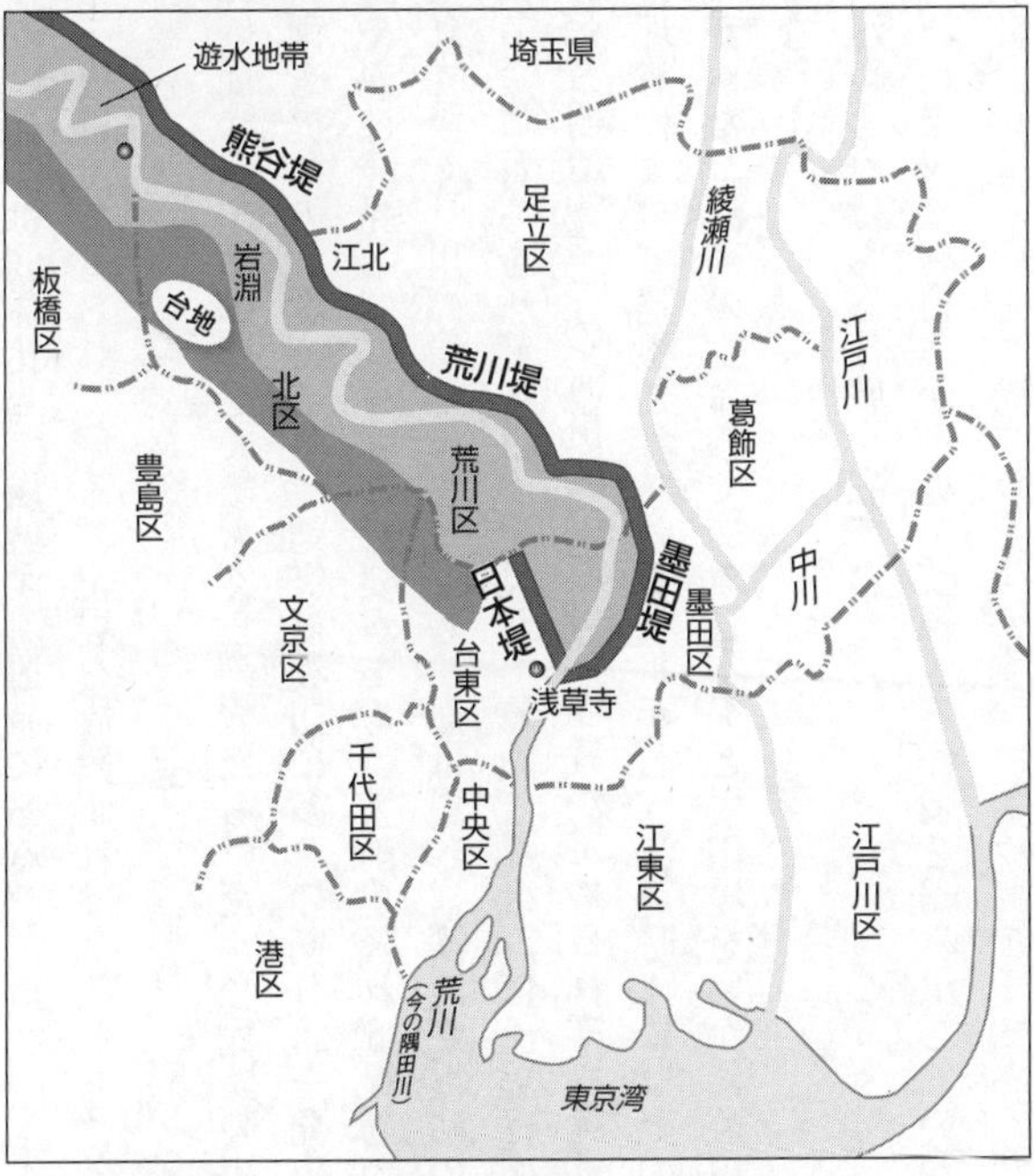

提供：国土交通省・荒川下流河川事務所

が伴わなければ堤防は弱体化し、崩壊する運命にある。

なぜなら、堤は土で造られている。土堤を放置すれば草花があっという間に生える。草花が繁殖すればミミズが発生し、もぐらが穴を掘り、蛇が巣を作ってしまう。実際に表面から1mの深さまでもぐらの穴だらけだった堤防の事例もある。

地震や大雨も堤防の大敵である。地震は堤防に多くの割れ目を発生させる。その割れ目を速やかに発見して修復する必要がある。大雨が降れば堤防のあちらこちらで法面《のりめん》は崩れていく。川の増水によっても法面は崩れ、濁流が堤防の穴から噴出することもある。これらを一刻も早く発見して修復しなければ土堤は破堤する。

1896年（明治29年）の河川法で河川管理者が定められて以降は、河川堤防は常に河川管理者によって巡視されている。しかし、江戸時代にはそのような河川管理者はいなかった。江戸の生命線である日本堤と墨田堤をいかに監視していくかが重要課題となった。

ここで、江戸幕府はある作戦を立てた。

それは、江戸市民たち自らが土堤を監視する作戦を編み出していったのだ。

それが堤防というハードインフラを生かすソフトウェアーであった。

吉原遊郭の移転

振袖火事の後の江戸大改造で注目すべきなのが吉原遊郭の移転である。幕府は京橋付近にあった吉原遊郭を浅草の日本堤へ移転させることとした。それ遊郭を移転させる理由は江戸市内の風紀上の問題と言われている。しかし、それ以上に、幕府にはどうしても吉原遊郭を日本堤へ移転させたい理由があった。幕府は遊郭側に夜の営業許可や補償金など有利な条件を提示し、日本堤へ移転させることに成功した。

当時の日本堤は追い剝ぎや辻斬りが出没する寂しい場所であった。吉原遊郭がここに移転すると日本堤の風景は一変した。

遊郭へ行く客は舟で隅田川を上り、浅草の待乳山聖天に着くと日本堤を歩いて吉原に向かった。一年中、ぞろぞろと多くの客たちが日本堤を歩いた。その日本堤には物売り小屋も建ち並ぶほどであった。

そのにぎやかさを広重は《よし原日本堤》で描いている。**写真2**がその浮世絵である。浅草が湿地帯のなかの小高い丘だと分かった時、脳裏に浮かんだ浮世絵であった。

この絵を見ていると、ぞろぞろ歩く客たちはまるで日本堤を踏み固めているようだ。まさに、江戸幕府の狙いはここにあった。遊郭を日本堤に移転させることで、人々の往来で日本堤を踏み固める。行き交う江戸市民の視線が、日本堤の不審な変状や出来事を発見していく。

そう、江戸市民が知らず知らずのうちに河川管理者になり、日本堤を強化し、監視していたのだ。

文化が守るインフラ

日本堤が吉原遊郭で賑わったように、対岸の墨田堤でも人々が賑わうためのある仕掛けがなされた。

8代将軍・吉宗は墨田堤の両脇に桜を植えさせた。桜の時期にはそれこそ江戸中から人々が訪れた。江戸市内でもこの一帯の寺社では庭を開放し、江戸市民はそこ

写真2　『名所江戸百景』《よし原日本堤》(歌川広重)

資料提供:三菱東京ＵＦＪ銀行貨幣資料館

で花見の宴を開くことができた。

墨田堤に桜が植えられただけではない。その墨田堤の周辺に次々と料亭が誘致され、ついには江戸一番の料亭街が形成されていった。それが向島の料亭街である。墨田堤の周辺は三味線の音が流れ、華やかな芸者衆が行き交うようになった。

浅草寺の横、今の浅草六区の前身の猿若町に芝居小屋や見世物小屋がまとまって移転させられ、江戸の芸能・演劇が栄えた。さらに、初詣、七福神めぐり、三社祭、ほおずき市、酉の市など、一年を通して催事がこの一帯で仕掛けられ、人通りが絶えることはなかった。

江戸は世界で最大の都市となった。そして、浅草は世界最大の歓楽街となっていったのだ。日本堤に遊郭を配置し、墨田堤に桜並木と料亭街を配置し、さまざまな催事を仕掛けた幕府のソフトウェアーは見事に成功した。

江戸市民の往来が堤防を踏み固め、江戸市民の視線が堤の崩れや水漏れ穴を発見した。

江戸市民を守る日本堤と墨田堤というハードインフラは、江戸市民の文化というソフトウェアーに守られていたのだ。

第12章

実質的な最後の「征夷大将軍」は誰か

最後の〝狩猟する人々〟

1867年、征夷大将軍徳川慶喜が京都二条城で大政奉還を行い、同年の王政復古の大号令により日本から征夷大将軍は消えた。

徳川慶喜は、歴史的には1000年以上も続いた征夷大将軍の第45代目であった。初代の征夷大将軍は794年に桓武天皇によって任命された大伴弟麻呂であり、第2代目の坂上田村麻呂の武勇によって征夷大将軍の官職名が有名となった。征夷大将軍は武士集団の頭領という地位を意味し、その頭領の座を巡って武士集団で激しい戦国時代が繰り広げられもした。

ところが、この征夷大将軍という言葉は、世界の歴史で人類が共通する宿命を内包している言葉でもあった。

それは、農耕民族による狩猟民族の迫害という宿命である。

「狩猟民族の討伐のため794年に征夷大将軍が任命された」ことは歴史家や文学者によって指摘されている。しかし、「征夷大将軍が実質的に終了したのはいつか?」は指摘されていない。

この問いへの解答は、日本列島の地形を見詰める中で浮かんでくる。その答えの時期こそ日本文明の大きな分岐点であったことが明らかになってくる。

旧約聖書

亡くなった恩師の3年目の偲ぶ会に出席した。久しぶりに高校時代の仲間たちと飲むのが目的であった。恩師は敬虔なキリスト教徒だったので偲ぶ会は教会で行われ、会堂の入口で聖書と讃美歌が与えられた。前の夜は遅かったので聖書をぱらぱらめくって睡魔と闘っていた。

それにも飽きて最初のページに戻った。何気なく目を漂わせていると、そこにはとんでもないことが記述されていた。

すっかり眠気は覚めて、その箇所に釘付けになってしまった。もう神父の話は耳に入らなかった。

そのとき手にしていたのは旧約聖書であった。その旧約聖書の最初のページは、神が宇宙と大地を創造した後にアダムとイブをつくり、そのアダムとイブが蛇に誘惑され知恵のリンゴを食べてエデンの園から追放される話である。

ここまでは現実感のない神話だが、その直後、旧約聖書は雰囲気をガラリと変えて、人間くさい物語を延々と続けていく。その冒頭がカインとアベルの話であり、これがとんでもない話であった。

イブはアダムの子を身ごもりカインを産み、その後に次男のアベルを産む。この二人の兄弟が人類最初の子孫で、カインは土を耕す者となり、アベルは羊を飼う者となる。あるとき二人が神に捧げ物をするさい、カインは農作物を捧げ、アベルは羊を捧げる。神はアベルの捧げ物に目を留めるが、カインの捧げ物には目を留めなかった。

ここで突然に、まったく突然に殺人事件が発生する。カインがアベルを野に連れ出し殺してしまう。人類最初の兄弟間で人類最初の殺人が起きてしまうのだ。このカインとアベルの話は有名で、ジェームス・ディーンの映画『エデンの東』の脚本の下敷きにもなっている。

この話で釘付けになった箇所は、カインが「土を耕す者」でアベルが「羊を飼う者」、つまり「土を耕す者」が「羊を飼う者」を殺すところであった。

この年になるまで、このカインとアベルの話は何度も読んでいた。しかし、今の今までこの物語の重要性に気がつかなかった。

人類最初の物語が、「農耕する人」が「遊牧する人」を殺すことだったとは。

農耕人の圧迫の証拠

世界の歴史は農耕民族による遊牧民族や狩猟民族の圧迫の連続である。ユーラシア大陸、オセアニア大陸、南北アメリカ大陸、アフリカ大陸で、農耕民族は遊牧民族や狩猟民族を圧迫し迫害し続けていった。

世界各地で農耕する人々は遊牧する人々や狩猟する人々を追い詰め、地球上の農耕のための土地の支配権を確立していった。

それは、日本列島でも同様であった。

有史以前、日本列島は狩猟する人々の世界であった。狩猟する人々はこの列島の山や海を駆け巡り、後世の人々から縄文と呼ばれる時代を過ごしていた。縄文時代の後半、農耕する人々がこの列島に登場した。その農耕する人々はあっという間に列島を席巻し、時代は弥生となっていった。

この縄文から弥生へ移行する際、ヨーロッパのケルト人虐殺、アメリカ大陸のインディアン虐殺のような迫害があっただろうが、その記録は残されていない。日本の歴史が文字で記録されるのは、それから2000年以上も待たなければならなかった。

2003年の秋、ある小さな勉強会で、評論家の松本健一氏の講演を聴いた。内容は幕末の黒船と日本人との出会いについてであった。その話の中で面白かったのが「征夷大将軍」の漢字の意味であった。征夷大将軍は「夷を征伐する軍人たちの総指揮官」という意味である。

問題はその「夷」であった。

「夷」という漢字を分解すると「一」と「弓」と「人」となる。これは「手を一杯広げて弓を引いている人」つまり「狩猟する人」を意味するという。古く中国で「東夷」という言葉があった。それは東にいる野蛮な民族「日本列島に住む人々」を指していたという。中国から見れば日本列島に住む人々は野蛮な狩猟する民であったのだ。

以上が松本氏の「夷」についての話であった。この話を聞きながら、私は小さな声を上げてしまった。

日本において、農耕する人々が狩猟する人々を迫害した歴史的証拠が現存していたのだ。

「征夷大将軍」という言葉こそが、その歴史的証拠である。

日本列島の稲作共同体

東南アジアや中国大陸から渡って来た稲作は九州から近畿へと広がっていった。熱帯モンスーン帯で生まれたこの稲作は、極東の日本列島で独特の稲作文明を形成していった。

まず、この列島の地形が特徴的であった。列島の7割が山岳地帯であり、平野の面積は1割にすぎない。その平野はいずれも沖積平野で水はけが悪く、雨が少しでも降れば水浸しとなった。一方、河川の勾配は急で一気に洪水となって海に流れ去り、日照りが少しでも続けば今度は水不足に悩まされた。

この列島の気候も特徴的であった。モンスーン帯の北限に位置するこの列島は、大陸のシベリア高気圧と太平洋高気圧の影響で、気候は休むことなく一年中変化し続けている。

この地形と気象の日本列島で、稲作はさまざまな重労働を必要とした。

寒い北風が吹く冬には春の農作業のための準備作業をして、春の雪解けを待っていっせいに田植えをする。梅雨には出水から青田を守り、夏の水枯れでは水を引き込み、秋の台風来襲前には収穫しなければならなかった。

米の収穫の持ち時間はたった半年間であり、その期間は懸命に働かなければならなかった。同じ稲作でも、熱帯モンスーン地方のいつでも種をまき、いつでも収穫できる稲作とまるで様相が異なっていた。

日本列島の稲作は個人では立ちゆかず、集団の力で田を作り、水を引き込み、洪水を防ぎ、収穫をする。その営みの中では個人のわがままは許されない。米のため人々は否が応でも協力しなければならなかった。

日本列島の稲作は、人々へ強固な共同体の形成を強いた。

その強固な稲作共同体は、個人を抑制し、集団最優先の規範を人々に強いたのだ。

稲作共同体の侵略

稲作は大地を疲弊させない。そして、米は他のどの穀物より栄養分に富み、米は何年間も保管が効き、米は何とでも交換ができた。米は富そのものであった。日本列島で稲作は富の蓄積と交換という経済を生んでいった。

今も昔も、経済の本質は攻撃である。

経済する人は他者より少しでも多く富を得たい衝動に駆られていく。その衝動に駆られて、農耕する人々はさらなる耕作地の拡大を図っていった。

狩猟する人々の土地へ進出し、彼らを排除し、自分たちの人口を増やし、その土地を耕す。それは限度を知らない膨張であり侵略であった。

農耕する人々の侵略に対し、狩猟する人々の抵抗は激しかった。

狩猟する人々は弓矢が得意で、山河を駆け巡り、戦いに優れていた。中国で狩猟する日本列島の人々が「東夷」と呼ばれたように、日本で「蝦夷《えみし》」と呼ばれた人々は狩猟する人々であった。その狩猟する人々の戦闘力に対抗するため、農耕する人々は蓄積した富で専門の武装集団を雇った。武士の誕生であった。

その武士の最高指揮官として794年、初代の征夷大将軍・大伴弟麻呂が朝廷によって任命された。その征夷大将軍の官職名を有名にしたのが第2代目の坂上田村麻呂であった。坂上田村麻呂の武勇によって「夷を征伐する総指揮官・征夷大将軍」という言葉が日本史に定着した。

それは日本列島において、農耕する人々が狩猟する人々を暴力で迫害した事実、その歴史的証拠が言葉として後世に刻印された瞬間でもあった。

――最後の〝狩猟する人々〟

坂上田村麻呂から400年後、源頼朝がこの官職に任命された。それ以降、「征夷大将軍」は武士集団の頭目を指す言葉となった。

武士集団はその官職を手に入れようと戦った。100年以上も続いた戦国時代を経て1603年、関ヶ原で勝利した徳川家康が31人目の征夷大将軍となった。その260年後の1867年、通算して45人目の征夷大将軍・徳川慶喜が京都二条城で大政奉還をして、征夷大将軍は消滅した。

江戸末期にはこの官職名は最高統治者を表わすだけで「夷を征伐する」意味はとっくに失っていた。

では、いつから「夷を征伐する」という意味は失われたのか？

名目ではなく実質的な最後の「夷を征伐する」征夷大将軍は誰だったのか？

この謎を解くことは「農耕する人々が日本列島を完全に制覇したのはいつだったのか？」を明らかにすることとなる。

この時期は、農耕する人々と狩猟する人々の何千年もの葛藤に決着がつき、日本社会全体が個人を抑制し、集団至上の稲作共同体の規範で覆われる時でもあった。

農耕する人々が狩猟する人々を迫害した歴史的証拠が「征夷大将軍」。だから、この謎への接近も征夷大将軍を足がかりにすべきだろう。

つまり、時間を遡り、「歴史上の征夷大将軍はいったい誰と戦ったのか？」「その戦った相手は狩猟する人々だったのか？」を考察すれば、実質の最後の征夷大将軍を特定できるはずだ。

歴代将軍の戦いでは、１６１５年の徳川家康の大坂夏の陣が最も新しい。しかし、この大坂の陣は戦いというより豊臣秀頼、淀君の息の根を止めるための謀略戦であった。どう見ても征夷大将軍が狩猟する人々を征伐する戦いではなかった。

次に年代的に新しい戦いが、やはり徳川家康の１６００年の関ヶ原の戦いである。

この関ヶ原の戦いの最前線で家康と対峙した石田三成を西軍の大将とすると、単なる豊臣秀吉の跡目争いの武士軍団内部の権力闘争でしかない。

しかしこの関ヶ原の戦いの西軍の総大将は石田三成ではなかった。

総大将は豊臣家に請われ大坂城に入った毛利輝元《てるもと》であった。

この総大将・毛利輝元は関ヶ原の戦いで大坂城から一歩も外へ出なかった。さらに関ヶ原の戦いが結着すると、毛利輝元は難攻不落の大坂城に立てこもらずさっさと大坂城を明け渡し広島城に帰ってしまった。

この毛利輝元は関ヶ原の派手な戦闘劇の陰に隠れていて注目されていない。しかし、この毛利輝元こそ、山や海を駆けめぐる狩猟する人々の最後の総大将であった。

山と海の中国地方

毛利一族が活躍した中国地方は山と海の国である。

3方向は海に囲まれ、内陸部は中国山地で覆われている。この地方に平野はなかった。

次ページの**図1**は等高線データのコンピュータによる中国地方の地形図である。

但し、海面は現在より5m高くして縄文時代前期の地形を表している。この図を見ると中国地方には平坦な土地がないことがわかる。

やや大きな盆地が岡山と広島の北側にある。現在の津山盆地と三次《みよし》盆地である。

しかし、これらの盆地は雨が降ると湖になってしまう湿地帯であった。

津山の「津」は港を表わし、津山盆地は船運が発達していた水辺盆地だったことを示している。また、三次という珍しい土地名も、元は「水村」であり朝鮮語の「みすき」の発音がなまって「みよし」になったという説が有力である。

図1　中国地方海進図　5m　縮尺:1:1,150,000
この図は、国土地理院提供の数値地図のデータを用いて作成した

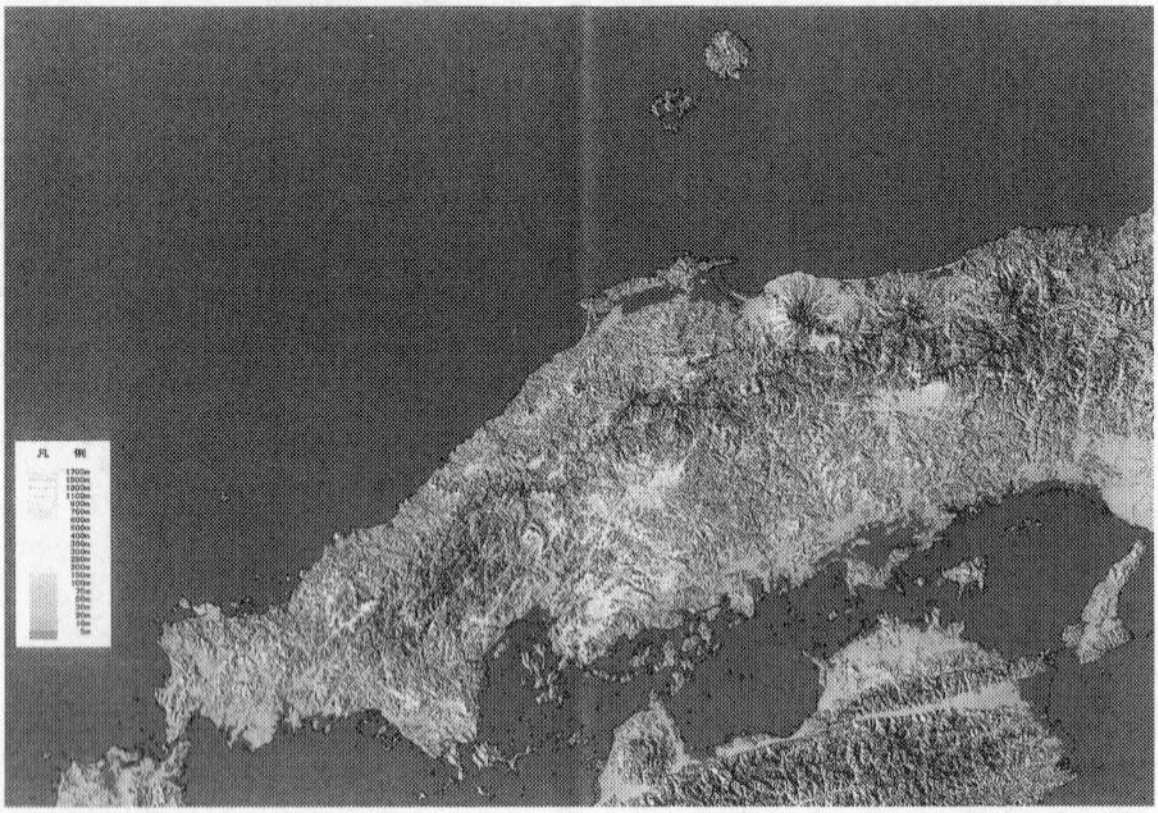

写真1は1972年（昭和47年）の洪水時の三次盆地の写真である。すでに国が直轄管理する堤防や排水施設があったにもかかわらず、三次盆地は水の底に沈んでしまった。二階の屋根で呆然としているのは洪水を防ぐべき建設省三次工事事務所（当時）の職員たちである。

一方、大河川の河口部では土砂堆積により沖積平野が形成されつつあった。しかし、それらは未だ雨や高潮のたびに浸水してしまう河口デルタであった。現在の岡山平野、広島平野、防府平野は江戸時代以降に干潟を埋めた人工の平野であり、戦国時代には存在していなかった。

中国地方はまさに山と海の国であっ

写真1　水に沈んだ建設省三次工事事務所（昭和47年）
国土交通省三次河川国道事務所提供

た。

❖狩猟民族の物的証拠

毛利家発祥の地で、毛利一族が何世代も本拠地としていた広島県吉田町（現・安芸高田市吉田町）の城跡を訪れた時の感想は、なんと奥深い山の城なのだ、という驚きであった。

鎌倉、室町時代にかけて稲作は、中部、北陸、関東、東北へと広まっていった。それらの地方には目が眩むほど広い平地が展開していた。その地方の有力な戦国大名たちはその広大な平地で稲という富を蓄積し、人々が行きかう街道で富を交換する城下町都市を繁栄させた。

中国山地を拠点にした毛利一族はこの手法を取らなかった、いや地形上その手法を取れなかったのだ。吉田町には大規模な稲作を行う平坦な土地はなく、人々が行き来する街道もなかった。

毛利一族の城跡を見ていると、いざとなればいつでも身軽に背後の中国山地へ散って行く、と言わんばかりであった。実際に、毛利一族は中国地方の山を駆け巡りながら戦国時代に突入していった。

その後、毛利輝元の祖父・毛利元就は山から海に勢力を展開していった。村上水軍、川ノ内水軍、屋代島の長崎水軍、沓屋水軍、桑原水軍を傘下に入れ、孫の毛利輝元がそれを引き継ぎ日本最強の水軍に仕上げた。

毛利水軍は大坂湾から瀬戸内そして九州一円の制海権を握り、戦国時代を通じて信長軍、秀吉軍そして家康軍と対峙し続けた。

関ヶ原の戦いの総大将・毛利輝元は一貫して海を駆け巡る戦国大名であり、農耕する戦国大名ではなかった。その物的証拠もある。

広島城がそれである。

1591年、毛利輝元は新しい本拠、広島城を建設した。この広島城は農耕を念頭に置かない海の城である。

広島城の背後には中国山地が迫り、城の前面は瀬戸内海に直接面していた。そこに流れ込む太田川はいくつもの洲を形成していたが、大雨のたびに洲を崩し流路を変え荒々しく流れ出ていた。

毛利輝元は河口デルタの一番大きな洲、つまり海の中の広い島の「広島」に城を建造した。

毛利輝元の目線は陸地ではなく海に向いていた。広島城はいざとなればいつでも身軽に海上へ飛び出して行く拠点であった。

――毛利の変身

関ヶ原の戦いの後、この毛利輝元は徳川家康により広島城から山口の萩に移封された。

毛利家は瀬戸内水軍との縁を切断された。さらに、徳川3代将軍・家光の「大船建造の禁」により毛利家は海への進出を完璧に封じられた。

中国一円の盟主から一転、長州に押し込められた毛利家は疲弊していった。長州での毛利家の生きる道は武家諸法度で禁止されていなかった海干潟の干拓、つまり農地の拡大とその前浜で塩田の造成を行うことであった。江戸時代、長州藩は一心不乱に干拓農地と塩田の拡大に勤しんだ。

征夷大将軍が覇権を握った江戸時代、狩猟する毛利・長州藩は農耕する人々になることで滅亡からのがれた。毛利・長州藩は防府平野の干拓農地で米の石高を上げ、塩田で塩を作り、膨大な富を蓄積していった。

幕末には毛利・長州藩はすっかり農耕する人々となっていた。その長州は農耕民族の象徴の日本帝国陸軍の萌芽「奇兵隊」を引き連れて日本史の表舞台に再び躍り出た。

農耕する人々に変身して生き延びた長州藩は征夷大将軍・徳川慶喜を統治者の座から引き下ろすほどの強力な農耕する人々になりきっていたのだ。

くすぶる「攘夷」

1600年、徳川家康が毛利輝元を萩へ移封した時、山や海を駆けめぐる狩猟する人々は日本史の表舞台から消えた。

それ以降、個人を抑制し、集団至上の稲作共同体の日本文明が形成されていった。

1853年、黒船が日本人の前に現れた。西洋文明が日本に激震を与え、日本という国の存続が瀬戸際に立たされた瞬間であった。日本国中は激しく動揺したが、世界各地の植民地のように国内分裂を起こさなかった。

日本人は西洋文明との邂逅《かいこう》という大激震の中でアイデンティティーを保った。そのアイデンティティーとは「攘夷」であった。

すべての日本人は蒸気船で航海してきた欧米人を「夷」と定義し、その夷を撃つ「攘夷」思想を掲げた。農耕する日本人は外国人を狩猟する民として対峙することによって結束を強めた。朝廷中心の尊皇派も幕府中心の佐幕派も攘夷では一致した。日本の歴史で最大の危機、国内分裂の危機、その危機を日本人は「攘夷」という旗を掲げて脱したのだ。

近代化の中にあっても「攘夷」は稲作民族日本人の集団性を強め富国強兵に役立った。攘夷の旗の下、日本は清国、ロシアを破り、植民地化の危機を脱して世界最後の帝国にすべり込んだ。稲作民族の集団至上主義で日本は難局を次々とくぐり抜けた。その成功体験が日本人を国家主義へ導き、世界を相手に戦うまでに自身を追い込み大敗北を喫した。

昭和の敗戦後、平和と民主主義を標榜《ひょうぼう》する国になった。しかし、日本人の稲作共同体意識と「攘夷」意識は近代工業分野において欧米人に経済戦争を仕掛けた。そして、日本人は平和の仮面を被ったまま経済戦争で勝ち続けていった。

稲作によって育んだ共同体至上主義は極めて強烈であり、自分たち稲作共同体以外を攘夷とする日本人の刷り込みは、思いのほか根深かったのだ。

旧約聖書の農耕するカインが遊牧するアベルを殺す物語は、人類の農耕文明の覇権を予言していた。

ユーラシア大陸の極東に浮かぶ島の日本でもその予言が実現してしまった。その日本列島で400年前、天下分け目の派手な関ヶ原の戦いの裏で、もう一つの戦いがひっそりと静かに繰り広げられていた。

それは、農耕する徳川家康と山や海を駆けめぐる毛利輝元の文明分け目の最後の対峙であった。

しかし、毛利輝元は戦わず、大坂城も家康に明け渡し、広島城から萩へ移っていった。その瞬間、日本文明の表舞台から山や海を駆けめぐる人々は消えてしまった。実質的な最後の征夷大将軍・徳川家康の勝利であった。

21世紀の今、広島城は太田川の河口に美しくそびえ立っている。それはまるで、日本の表舞台から消え去った山や海を自由に移動して狩猟する人々を追慕しているかのようだ。

第13章

なぜ江戸無血開城が実現したか

船が形成した日本人の一体感

幕末、徳川幕府による大政奉還とそれに続いた王政復古の大号令によって、260年間、絶対的な権力で日本を支配した徳川幕府が一瞬にして消え、天皇を中心とする全く新しい政治体制が出現した。

この日本社会の無血の大変革は奇跡的と言われている。世界史を見ても、無血で国家の体制がこれほどまでに激変した例などない。この日本の出来事は、常に幕末の英雄たちの活躍で語られる。

坂本竜馬の奔走、西郷隆盛の豪胆、勝海舟の器量などで、欧米列国が狙っていた日本国内の分裂とそれに続く植民地化の危機から日本は救われた。

歴史とは人が語る（His-Story）物語である。幕末の英雄たちが演じた物語は、日本人が誇る最高級の舞台劇である。このドラマは日本人の心を摑んで離さない。

この幕末の英雄たちのドラマが演じられた舞台を、ある下部構造が支えていた。この下部構造がなければ、英雄たちは華やかなドラマを演じることはできなかった。舞台を支えた下部構造は人々の目には触れにくい。人々がその下部構造を見たとしても、その重要性に気がつくことはない。

✣──広重の《神奈川・台之景》

推理小説の一分野に刑事モノがあり、その中での有名な格言が「現場百回」である。犯行現場へ何回も足を運べば、それまで見えなかった新しい証拠や手がかりを発見できる、というものだ。

その現場百回を広重の絵で体験した。

同窓会で横浜へ行った。この30年間、横浜は超高層ビル街に変貌した。私の記憶の中にあるくすんだ横浜は、跡形もない。

時間があったので書店に入り、本を見ていた。その書店の壁に広重の《神奈川・台之景》が掛けてあった。横浜だから《神奈川・台之景》だなと思い、なにげなく眺めていた。次第に、眠っていた脳が動き出していった。

今まで何回も何回も、この絵は見ていた。しかし、私は大切なことを見落としていた。

あわてて、書店の絵画コーナーへ向かった。《品川・日之出》を見たかったが、

『東海道五十三次』の画集はなく、帰宅するまでお預けになった。

帰宅して本棚から『東海道五十三次』の画集を下ろした。

思った通りだった。《品川・日之出》でも、私は大切なことを見落としていた。

―つまらない『東海道五十三次』

広重といえば、『東海道五十三次』である。広重の『東海道五十三次』は、中学の教科書に浮世絵の代表作として載っている。中学生の教科書に載るぐらいだから、当たり障りがない。悪童たちの好奇心をかきたてたりはしない。だから、広重はつまらない。この思い込みで長く広重を見ることはなかった。

その私が広重の面白さを発見したのが、『名所江戸百景』だ。

江戸末期、広重は江戸市内のあらゆる街角と風景を描いていた。この江戸百景を見ているうちに、広重の写真性に気がついた。それ以降、広重を絵としてではなく、写真として見ていった。

広重を写真として見ると、思わぬ江戸の謎を発見した。

半蔵門の土手、三河島の湿地、小名木川の五本松では、江戸出生の秘密を発見した。虎ノ門の堰堤、桜の玉川堤や日本堤の人ごみでは、江戸繁栄の理由を知った。

それ以降、私は何度も広重を見直した。もちろん、『東海道五十三次』もだ。しかし、『東海道五十三次』は、やはり面白いとは思えなかった。少年時代に嵌《は》められた先入観のタガは、なんと強いのだろう。

横浜の書店の《神奈川・台之景》を見ているうちに、頭を締め付けていたそのタガが、するっと外れていくのを感じた。

これが私の広重の現場百回であった。

この現場百回で、近代化を成し遂げた日本人の心の鍵を見つけた。

見落としていたもの

次ページの**写真1**が、『東海道五十三次』の三番目の宿《神奈川・台之景》である。

夕焼けの神奈川宿、一夜の宿を探す旅人と強引に誘う飯盛り女が描かれている。

写真１　『東海道五十三次』《神奈川・台之景》(歌川広重)

資料提供：三菱東京ＵＦＪ銀行貨幣資料館

この絵を見ていると、どうしてもユーモア溢れる旅人と飯盛り女に目が行ってしまう。江戸庶民を描くことでは、広重は天才であった。その広重の巧みさに邪魔され、私は大切な光景を見落としていた。

その見落としていた光景は、決して小さくはない。堂々とした存在感で描かれている。

それは、船であった。

大きな船は、錨を下ろし、帆をたたんでいる。江戸を目前にして、乗船者は長旅の疲れを癒やす宿を求めて、小舟で神奈川宿に向かっている。沖には、暗くならないうちに品川宿へ急ぐ船の列も見える。

もちろん、いままでもこの船を見てはいた。しかし、その船の重要性に気がついていなかった。

そういえば《品川・日之出》も同じ構図だった。それを確かめたくて、『東海道五十三次』の画集を開いたのだ。

広重の驚嘆

品川宿は江戸から一番目の宿である。やはり思ったとおり、品川宿の構図は、神奈川宿とそっくりであった。次ページの**写真2**が一番目の宿の《品川・日之出》である。

神奈川宿は夕方の光景であったが、品川宿は日の出を迎えた朝の光景である。旅人たちは、そそくさと急ぎ足で出立していく。

帆を揚げた船が、次々と江戸に向かっていく。帆を揚げていない船の中では、懸命に出航の準備が行われている。忙しい一日が始まる朝の品川宿の活気が、伝わっ

写真２　『東海道五十三次』《品川・日之出》（歌川広重）

資料提供：三菱東京ＵＦＪ銀行貨幣資料館

てくる。

それにしても、船が多い。船が品川沖を埋め尽くしている。

江戸市内にいる限り、この船の多さを知ることはない。江戸を出て、品川、神奈川と歩いていくと、この大群を目撃することができた。

これほど多くの船が、江戸に入っていくのか！

広重は、心から驚いた。

広重は『東海道五十三次』で、江戸っ子の知らない各地の驚きを描いていった。彼にとって、東海道の旅の最初の驚きが、この大群の船であった。

広重はその驚きを強調するため、品川

宿と神奈川宿で、同じ構図を繰り返して描いたのだ。

モノを共有した日本人

19世紀、世界最大の百万都市・江戸は途方もない物量を必要とした。全国各地の米、海産物、木材、特産品そして工芸品が、毎日休むことなく江戸に注入されていった。

江戸に住む諸大名は、地元から特産品を取り寄せ、それを金品と交換した。各地の商人たちは、江戸の食欲とエネルギーと好奇心を満たすため、ありとあらゆるモノを送り続けた。

江戸に注入されるだけではない。江戸から各地へ向かう船には、着物、装飾品、浮世絵、カワラ版、工芸品が満載されていた。

全国各地からモノが江戸に集まり、江戸で混じり合い、そして、全国各地へモノが送り出された。江戸は日本列島のモノのミキサーであった。

江戸時代の260年間、日本列島の人々はモノを共有していた。

日本列島の分断された土地

日本は、南北に細長い島国である。北海道から九州までだけでも2000㎞もある。細長いだけではない。列島中央には、脊梁山脈が走っている。この山脈から太平洋と日本海に向かって、無数の川が流れ下っている。

日本の各地は、この海峡と山々と川で分断されていた。

人々は分断された土地で、稲作を始めた。長持ちして簡単に計れる米は貨幣であり、富であった。しかし、日本列島での米作りは、困難を極めた。

何しろ米作りの期間は、せいぜい4月から9月までである。たった半年で、1年分の富を得なければならない。その米作りの季節には、日照り続きの旱魃《かんばつ》があり、大雨の洪水が襲ってくる。

人々は力を合わせて用水路を掘り、水を引いた。堤防を固めて洪水から集落を守った。

冬には冬で、春の農作業の準備が山のようにあった。農具を作り、それを改良し、草鞋《わらじ》や蓑《みの》を編み、苗の下ごしらえをした。

稲作を始めた人々は、土地から離れるわけにはいかなかった。日照りが続いても、洪水に襲われても、大雪に埋もれても、地震で家が潰れても、土地にしがみついていた。

日本列島の分断された土地で、米にこだわり、土地にしがみついていた人々、それが近代化以前の日本人であった。

ところが、この分断された地方で生きていた人々も、モノを共有していたのだ。船がそれを実現していた。

モノは情報

北は北海道から南は九州まで、日本列島は船のネットワークで結ばれていた。275ページの**図1**が江戸時代の主要な港と航路図である。

モノは情報である。モノは、人々の知恵の塊である。モノには、各地の歴史と文化が染み込んでいる。

船が運んできた他国のモノを手にした人々は、それを作った見知らぬ人々の知恵と文化に感心した。そして、モノを送り出した江戸の話に弾んだ。日本人は分断されて生きていた。しかし、日本人はモノを共有し、情報を共有していた。

他人とは、情報を共有していない人を指す。仲間とは、情報を共有している人々をいう。

アイデンティティーとは、それほど難しい概念ではない。情報を共有する仲間への「帰属意識」がアイデンティティーである。ラジオやテレビがない江戸時代、分断されていた日本人は、モノを共有することで、日本への帰属意識を醸成していった。

大政奉還

1853年、米国のペリー提督が率いる黒船が、浦賀沖に姿を現わした。激動の時代の幕が開いた。

図1　近世末期における水上交通図（主要なもの）

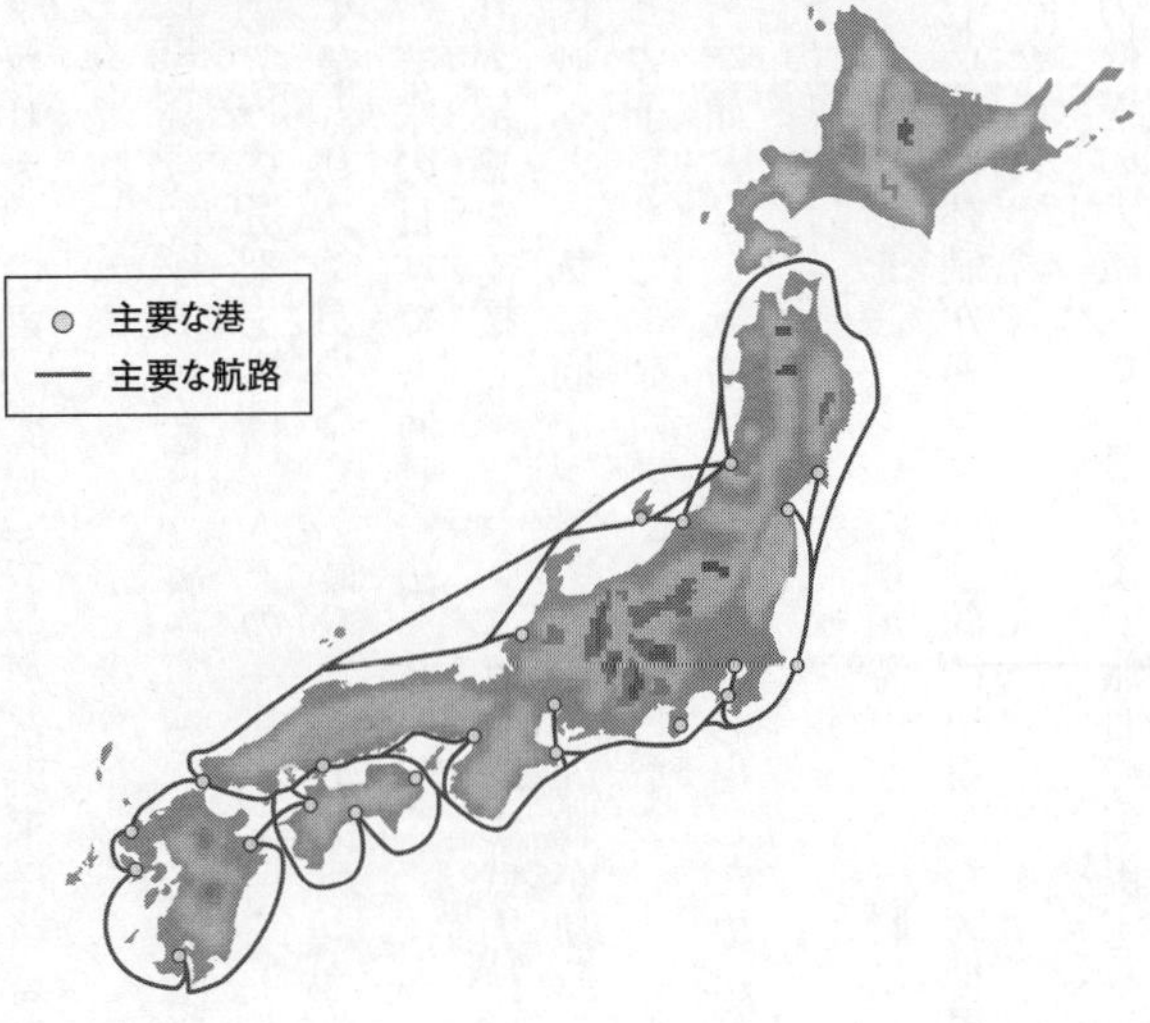

出典：『日本海海運史の研究』近世末期における水上交通図
福井県立図書館・福井県郷土誌懇談会共編
石井謙治氏作成の地図をもとに竹村・後藤作成

欧米列国はアフリカ、中東、そしてアジアと太平洋諸島を次々と植民地化し、日本への包囲網を狭めていった。

欧米列国が植民地支配する手法は、常に「Divide and Rule（分割統治）」であった。その土地の人々の分裂を広げ、人々の一体感を裂くことである。それが、支配する側にとって最もリスクが少なく、最も効率が良かった。

欧米列国は、幕末の日本でも同じ手法をとった。

英国は、薩長の倒幕を支援し、フランスは幕府の武力抗戦を支援した。日本は国内を二分する内戦へと一気に向かっていった。内戦が勃発しようとしたその瞬間、欧米列国にとって予想もできない事態が出現した。

1867年、突如として統治権を朝廷に差し出した徳川幕府の「大政奉還」とそれに続く「王政復古の大号令」であった。

2世紀以上、絶対権力を誇っていた徳川幕府が、一瞬にして姿を消した。天皇を中心とする新しい政治体制があっという間に出現した。世界の歴史上、例のない大規模な無血革命であった。

しかし、権力機構の大激変が、最後まで無血で実現することはない。旧権力のリアルな崩壊の上に新体制は築かれる。特に戦を生業とする武士たちは、敵の血を見なければ収まらない。

1868年、敵の血を求める行進が江戸に向かった。

勝・西郷会談

血を求めて、官軍が江戸に迫った。江戸が戦場になろうとしていた。

江戸は100万の人々が住むだけではない。江戸は日本中のモノの基地であり、日本の情報の基地であった。

旧幕臣の勝海舟と官軍参謀の西郷隆盛が、高輪の薩摩藩邸で会談した。

戦いが開始されれば、江戸は戦火に消える。徳川幕府は消えたが、江戸は依然として日本列島の情報基地であった。

江戸が消えれば、日本の情報基地が消失する。情報基地が消え、日本各地への情報が途絶えれば、人々は不安と不審と疑惑に陥っていく。それは日本列島に亀裂を生じさせ、欧米列国はそれにつけ込み、日本を大きな分裂へと誘いこんでいく。

勝と西郷は、戦いを止め、江戸を戦火から守ることで合意した。

両者は「江戸の消失は日本の分裂」という予感に包まれていたのだ。

アイデンティティーを育んだのは「船」

19世紀後半、欧米列国に囲まれた日本は、かつてない存亡の危機を迎えた。

徳川幕府は「大政奉還」という挙に出て、日本の分裂を防いだ。

「勝・西郷会談」は、武士の血の衝動を抑え、江戸という情報基地を守った。

日本の分裂は回避され、情報基地・江戸は守られた。

この「大政奉還」と「勝・西郷会談」は、国内分裂を避けた出来事として、歴史上に燦然と輝いている。

しかし、この歴史の表舞台の二つの出来事を支え、日本人の一体感を醸成していた下部構造に関しては指摘されていない。

日本人の一体感、日本人のアイデンティティーがあったからこそ「大政奉還」が生まれ、「勝・西郷会談」が成功した。

その日本人のアイデンティティーを醸成した下部構造は、モノを運び、情報を運んだ「船」であった。

第14章

なぜ京都が都になったか

都市繁栄の絶対条件

なぜ京都は1000年以上に渡って日本の都であったのか？

このような問いを誰も発しない。なぜなら、その答えはあまりにも自明だからだ。その答えは「京都には天皇の御所があったから」となる。

しかし、それは本当なのか？　歴史的に天皇の御所は、飛鳥京、難波京、藤原京、平城京、長岡京、平安京、南北朝の吉野、再び京都、そして東京と移動している。御所はその時の社会状況と自然状況の中で一番都合の良い場所を求めて軽い足取りで移動している。

どうやら歴史を立体的に浮かび上がらせるには、「御所があったから京都は都だった」という見方から「京都は日本の都だったから、御所は1000年以上動かなかった」という見方が必要になってくる。

歴史は一本道だった。だから歴史にifはない。ifは小説の世界であり歴史の世界ではない。人間が頭で想像するifを一切排除して、歴史の出来事を見ようとすると、否が応でも地理と地形と気象の視点となってしまう。

この京都が都だった理由も、地理と地形の観点から解き明かすことができる。

赤坂見附

ある会議の後、赤坂見附の交差点を通りかかった。ふっとサントリー美術館を見ると「描かれた水辺の人々」という垂れ幕が風になびいていた。次の約束まで時間があり、立ち寄ることとした。

その絵画展は、室町時代から安土桃山、江戸時代までの水辺の暮らしを描いたものであった。

数多い作品の中で、私の眼と心を引き付けたのは「近江名所図屏風」（284ページ）と「志度寺縁起絵《しどじえんぎえ》」（286ページ）であった。

近江名所図屏風には、室町時代、琵琶湖西沿岸の四季を通じた人々の生活が、生き生きと描かれていた。

志度寺縁起絵には、琵琶湖から瀬戸内海・香川の志度寺まで、木材を川に流して運搬する様子が描かれていた。琵琶湖から瀬田川、宇治川、淀川そして瀬戸内海へと至る広大な水系を、限られた画面の中で川の勢いを殺さずダイナミックに表現し

写真１　「近江名所図屏風」(部分)　滋賀県立近代美術館蔵

ていた。

この二点の絵を観ていて「京都は、都に適していた」ことを思い知らされた。

文明の中心は「交流」

この展示会の絵画には、どれも共通点があった。それは「舟」であった。人々の生活の絵には、例外なく舟が描かれていた。

１８５３年、日本人は黒船の蒸気機関と出会った。それ以降の１世紀余で日本人は、蒸気機関車、自動車、飛行機、新幹線と輸送手段を一気に進化させた。しかし、それ以前の輸送手段は馬、牛、舟であり、その中で最大の力を発揮したのが舟であった。

日本の2000年の歴史の中で、日本人と舟は切っても切れない関係を持っていた。

日本の歴史の謎を解く鍵に「舟」が登場することが多い。

この2点の絵を観ていて「京都は、日本の中心地の都に適していた」と改めて認識した。それは京都が船運に恵まれていたことがよく示されていたからだ。

「鳴くよ、うぐいす、平安京」の西暦794年、桓武天皇は京都へ遷都した。これ以降、政治権力は次々と変わっていくが、京都は日本の都として存在し続けた。

それは、京都がダイナミックに交流する土地であったからだ。

そのことは地理の視点から具体的に検証することができる。

「日本の都」探しシミュレーション

まだ日本という国が生まれる以前の古代へタイムスリップして、これから誕生する日本国の都をどこにするか、というシミュレーションを行っていくことにする。

写真2　「志度寺縁起絵」(部分)　志度寺蔵

まず、日本列島の地図を広げてみる。

現代の我々は、地図を持っている。地図を得た人間は、空間的に「神の目」を持ったこととなる。

神の目で、広げた日本の地図を上空から見下ろし、日本の都を探していく。

日本列島は、南北に細長い。北緯45度の亜寒帯から、北緯25度の亜熱帯まで、その距離は3000kmにも達する。北海道から九州までの距離だけでも2000kmある。さらにこの細長い列島の中央には北から南まで脊梁山脈が走り、太平洋側と日本海側に分断されている。

この細長い列島各地をまとめ、国家を形成していく中心の地をどこにするか？

日本列島の中心

国家の都の機能を挙げればきりがないが、どうしても絞り込まざるを得ないので最小限の2点に絞り込むこととする。

第1点目は、日本列島の地理的中心であること。この細長い列島を統一して一つの国としていくには、やはり地理的中心でないと物理的に難しい。

地図上の列島の地理的な重心は、中部地方から近畿地方となる。

第2点目は、脊梁山脈で分断されている日本海側と太平洋側との連絡が容易な場所であること。

大陸との玄関口の日本海側と活動の拠点の太平洋側を連絡しなくては日本国の統一は不可能である。

354ページの「外国漂着ゴミの分布」図を見れば分かる。

明らかに日本海側は、対馬海流で運ばれて来る大陸文明の玄関口であった。古代だけではなく、中世や近世になってもそれは続いた。室町時代、最初に象が入ってきたのが福井であったことからもわかる。

しかし冬の日本海側は、雪が深い。太平洋側は生活する上で圧倒的に有利である。太平洋側は家屋で例えれば、暖かい居間であり、陽が当たる縁側である。そこに家族が集まり、食べ、飲み、憩い、そして物を作り、隣近所の人々と商いも繰り広げていく。やはり国の活動の中心は、太平洋側のほうが有利だ。

この大陸文明の玄関口の日本海側と太平洋側を、最短かつ容易に連絡できることが都の第2番目の条件となる。

中部から近畿地方にかけて、日本海側と太平洋側を結ぶ最短の線はどこか。それはすぐわかる。今の福井県の若狭の敦賀《つるが》湾と、太平洋側の伊勢湾を結ぶ線である。地図上の直線距離で、たった100㎞しかない。

これで日本の都は、その直線上にある現在の岐阜・濃尾に決まるのだろうか。

京都にたどり着く

濃尾に決める前に、神の目の上空から地上へ降りて、日本列島の横断旅行の追体験をする必要がある。

3000年前、日本海を渡った大陸の民は、敦賀湾に上陸する。そこは大陸で経験したこともない、雪深い地であった。雪深い日本海側を避けて、南へ向かう旅に出発する。

現在の福井県と滋賀県の県境・深坂峠を越える。その峠を越えると突然、広い盆地が展開していて、その盆地いっぱいに大きな湖が横たわっているのに出会う。それが琵琶湖だ。

当然のように湖岸の木々を切って舟を造る。その舟に乗り、雪の少ない南に向かって再び旅立つ。

琵琶湖の水面は穏やかで、北湖、南湖を楽に通過していく。琵琶湖の出口は、一カ所しかない。その琵琶湖の出口の瀬田川に入っていく。この瀬田川は、流れの向きを西に変えて下っていく。この川の流れは、東の岐阜・濃尾には向かわない。地図で見ていた濃尾と遠ざかってしまう。瀬田川の狭い渓谷を過ぎると、宇治川になり川幅が少しずつ広くなる。今の伏見の付近で一気に川幅は広くなり、右からは桂川、左側からは木津川が合流して大きな池となる。

巨椋池《おぐらいけ》だ。この池は昭和の前半まで実在した。

図1は明治時代の貴重な地図である。北に京都の旧市街地があるが、その大きさは現在の京都市と比べだいぶ小さい。今の京都市伏見区の南に広大な湖沼がはっきりと見える。巨椋池は埋め立てられ、今では全く消滅してしまった。

この巨椋池に入ると、流れはなくなり舟も止まってしまう。

もうこのあたりで雪は降っていない。穏やかな太平洋側の気候を示している。冬なのにユーラシア大陸と比べると嘘のように暖かく、まるで春先のようだ。

この巨椋池の周囲を舟で調べる。

巨椋池では桂川、宇治川、木津川が合流している。そのため巨椋池一帯は、雨が少しでも降るとすぐ水浸しになってしまう。そのため少し高台へ移動する必要がある。巨椋池から鴨川に沿って北へ３㎞ほど歩いて進む。するとそこには、冬の北風を防ぐ山々が屏風のように配置され、南に開けた明るい土地がある。

そこが、京都だ！

敦賀湾に上陸して、日本列島を横断してきた。その間、自分たちの足で陸路を歩いたのは、深坂峠越えのたった20㎞と最後の３㎞だけだった。

図１　明治時代の京都と巨椋池

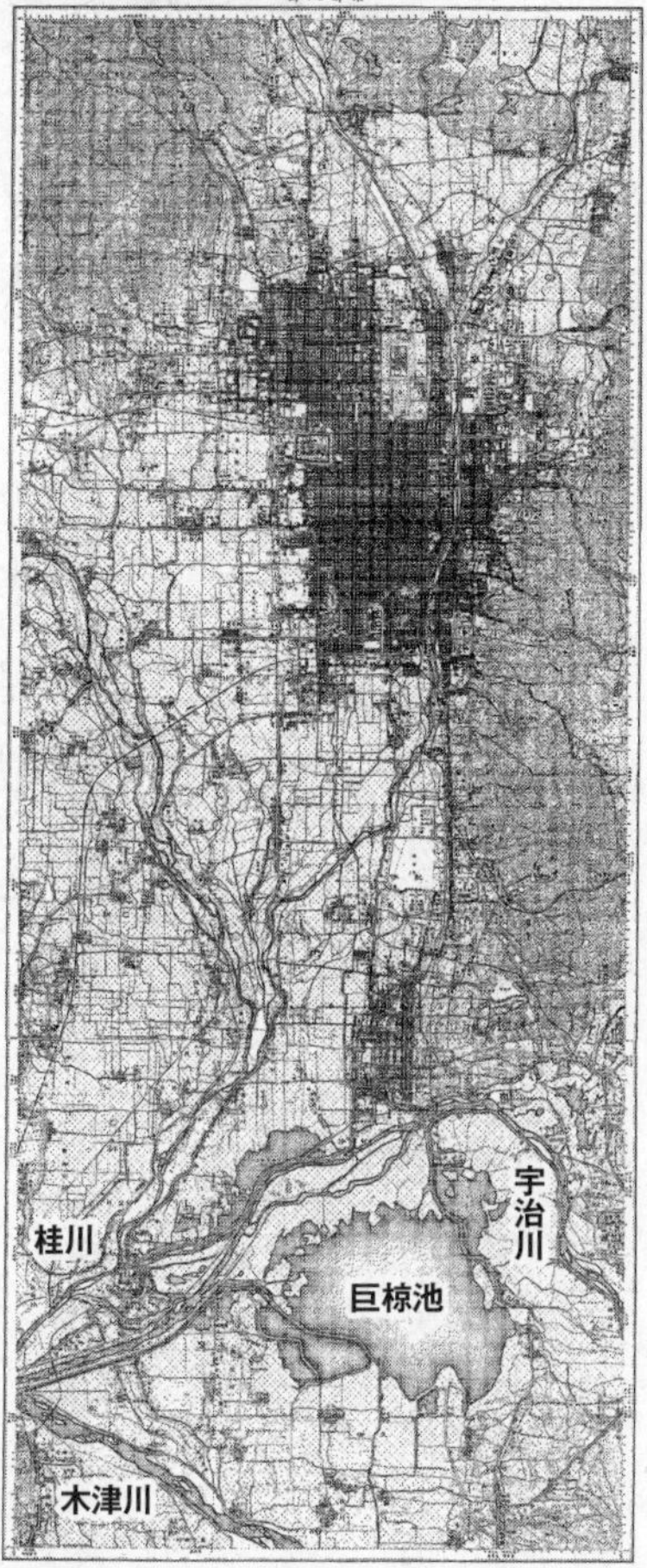

後は全て舟に乗って、この京都の地に到達できた。

京都から淀川を下ると、大阪湾を経て瀬戸内海に出て、自由に海上を舟で行き来できた。

日本海を渡り敦賀湾に上陸した人々は、中部地方ではなく近畿地方へ着いた。南北に長い日本列島の地理の中心であり、日本海側と太平洋側を最短かつ容易に連絡する地は今の京都であった。

京都が都になったのは、偶然ではない。一見すると現在の京都は、大阪湾から奥まった内陸部に位置している。しかし京都は、日本海側と太平洋側の各地へ舟で行けるという船運交流の中心地であった。

1000年以上日本の都として君臨した京都は、日本列島をまとめ上げるための見事な地勢条件を備えていた。

「交流軸は栄える」

「交流軸の都市は栄える」という言葉がある。

あの近江名所図屛風に描かれた琵琶湖周辺の賑わいは、まさに交流軸の繁栄を示していた。

戦国時代、織田信長は琵琶湖の東岸に安土城を築き、そこから天下を狙った。豊臣秀吉も琵琶湖の長浜に城を築き、そこから天下を取った。戦国の幕を閉じた関ヶ原の決戦も、琵琶湖に続く土地で繰り広げられた。

歴史を通じて最も躍動的であったこの琵琶湖周辺は、常に人々が行き交う舞台であった。

徳川家康の時代になり、幕府が江戸に開設された。日本の東西の大都市を結ぶ東海道が400年前に誕生した。その幹線陸路、東海道も琵琶湖を通過した。全国の情報が、この近江で出会い行き交った。名だたる商人たちが生まれたのも、ここが情報のるつぼであったからだ。

しかも、21世紀の今でもその躍動は続いている。

現在、全国の地方都市の人口は低迷している。この傾向の中で滋賀県は常にトップクラスの高い人口の増加を示している。

また県民一人当たりの製造業粗付加価値額が高いのも滋賀県である。製造業粗付加価値額とは、その県に入ってきた原素材をいかに価値あるものに仕上げて、県外に売り出していくかという指標である。そこの県民の英知と文化度の高さを表わしている。

滋賀県の躍動の源は、鉄道と道路にあった。

交流軸の上の都市は栄えるという原則を近代の滋賀県が証明していた。

1963年、我が国最初の高速道路の名神高速道路が開通した。その名神高速道路は滋賀県内を通過した。

さらに1972年、日本で4番目の高速道路・北陸自動車道が開通した。

この北陸自動車道は、東名・名神高速道路と比べると一見して地味に見える。しかし日本の国土への影響に関しては、東名・名神高速道路と同様にその持つ意義は大きい。この北陸自動車道によって、太平洋側の圏域と日本海側の圏域が直接結びついた。雪深い北国と暖かい関西・中部が、あっという間に行き来できるようになった。

そして、この北陸自動車道が東名・名神高速道路に合流した場所が、滋賀県の米《まい》原《はら》インターであった。20世紀になっても琵琶湖周辺が、東西日本と南北日本のネットワークの結接点となった。

このように琵琶湖周辺は、近代自動車文明への転換劇の舞台も提供した。

高速道路が開通する以前、滋賀県の県民一人当たり製造業粗付加価値額は、全国の中間あたりで低迷していた。その滋賀県が、高速道路の開通と同時に目覚めた。

東名・名神高速道路が開通して15年経った1980年（昭和55年）には、他の20県近くをゴボウ抜きして全国第5位となっていた。その後の数年間は第5位あたりで頭打ちを示したが、北陸自動車道が開通するとまた躍進が始まった。

北陸自動車道が開通した後の1987年（昭和62年）、遂に一人当たり製造業粗付加価値額で全国第1位となった。

滋賀県の歴史は「交流軸は栄える」ことを鮮やかに教えてくれる。

人の交流は情報の交流

道路は物を運搬する装置と思われている。

しかし、それは一面的な見方であり、交流軸の立体的でふくらみを持った意義を捉えていない。交流軸は、情報を運ぶシステムである。

生命の本質は情報の交換である。両親の遺伝子の情報交換で人は生まれる。情報交換で生まれた人間が都市を創る。そのため都市の本質も情報交換の場となる。情報には文字、絵画、映像、物とさまざまな種類があるが、その中で最も内容の濃い情報が人間そのものである。

新幹線が登場した当時、故・梅棹忠夫氏は、新幹線は情報の塊の人間を運ぶ装置である、と看破した。人間は情報の塊であり、その情報が行き来する交流軸が栄え、その交流軸の上にその国の都が誕生していくのは当然となる。

なぜ京都が1000年以上に渡って都であったのか?

京都が1000年以上日本の都であった理由は御所の存在というより、日本列島の地形上の必然の交流軸にあったからだ。

京都は日本列島の交流の原点であった。京都は陸路の東海道と中山道の起点であった。京都は淀川を下り、大阪湾から瀬戸内海に至る海路の起点であった。

細長く、数知れない島々で構成されている日本列島は、この京都が原点となって見事な情報ネットワークの国土を形成していったのだ。

第15章

日本文明を生んだ奈良は、なぜ衰退したか

交流軸と都市の盛衰

世界史の中でも、奈良は奇跡の都市である。

1000年以上前の飛鳥時代の壁画が鮮やかに残されており、世界最古の木造建築群の法隆寺や大仏が建っている。さらに、校倉《あぜくら》造りの木造倉庫・正倉院も残っており、その中には奇跡的に盗掘されないで残った数知れないシルクロードの宝物が収納されている。

この1500年間、日本は決して平和ではなかった。奈良時代の権力の内紛、国内を二分した源平の戦い、朝廷が二つに割れた南北朝、100年以上の下剋上の激しい戦いがこの狭い島国で繰り返されていた。

この激しい時代を奈良は平然と乗り切り、さまざまな歴史的遺産を21世紀に引き継いでくれた。世界を見回しても、このように歴史を保存した都市などない。奈良は奇跡の都市と断言できる所以である。

なぜ奈良は奇跡の都市だったのか？　誰もその解を与えてくれないが、地理や地形の視点から奈良を見詰めると、自然とその答えが浮き出てくる。

奈良は1000年の大いなる眠りに入っていたのだ。

箱根駅伝の最終コースの変更

2003年の正月の3日、おとそで弛緩した身体を目覚めさせようと大手町へ出かけた。東京~箱根間往復の大学駅伝のゴールを観戦するためであった。

大手町の読売新聞本社前は華やかさに包まれていた。しかし、10年前に一度来た時と何か雰囲気が違うのだ。それはすぐわかった。ゴールする選手を迎える人々の列の方向が違ったのだ。

人々の列は南の方角に延びていた。たしか10年前にはこの列は西に向いていたはずだった。選手たちは箱根から帰ってくるのだから西に向くのが当たり前だ。しかし、その列が南に向いている。

ゴールまでの時間があったので、人々の列をゴールから逆に歩いてみた。大手町から南へ延びたその列は日本橋の手前で西に向きを変え、日本橋を渡り銀座中央通りへ続いていた。そしてその銀座中央通りは応援の人々で溢れかえっていた。

ゴールへ向かう最終コースが変更になっていたのだ。10年前の皇居内堀通りから大手町へ向かう最終コースが、銀座中央通りを抜け日本橋を渡るコースになっていた。制服を着た競技関係者に、いつからこのコースになったのかと聞くと、5年前に変更したということであった。

それでわかった。近年この大学駅伝が何か華やぎを増し、盛んになったように感じていた。その理由は最終のゴールコースが日本最大の繁華街の銀座を通過していたのだ。

「イベントも交流軸に乗ると繁栄するのか」と苦笑してしまった。

ホテル・旅館客室数全国最低の奈良

大阪で勤務していたころ、奈良市で開催されたシンポジウムに出かけた。当時の建設省の奈良国道工事事務所主催のイベントであった。そのシンポジウムのテーマも内容も忘れたが、一枚の図と出会ったことだけは鮮明に覚えている。

その図は今でも脳裏に焼きついている。なぜならその図は、解はないと諦めていた問いの突破口となってくれたからだ。

図1　都道府県別ホテル・旅館客室数(平成9年度)
資料:「衛生行政業務報告」厚生省(現・厚生労働省)

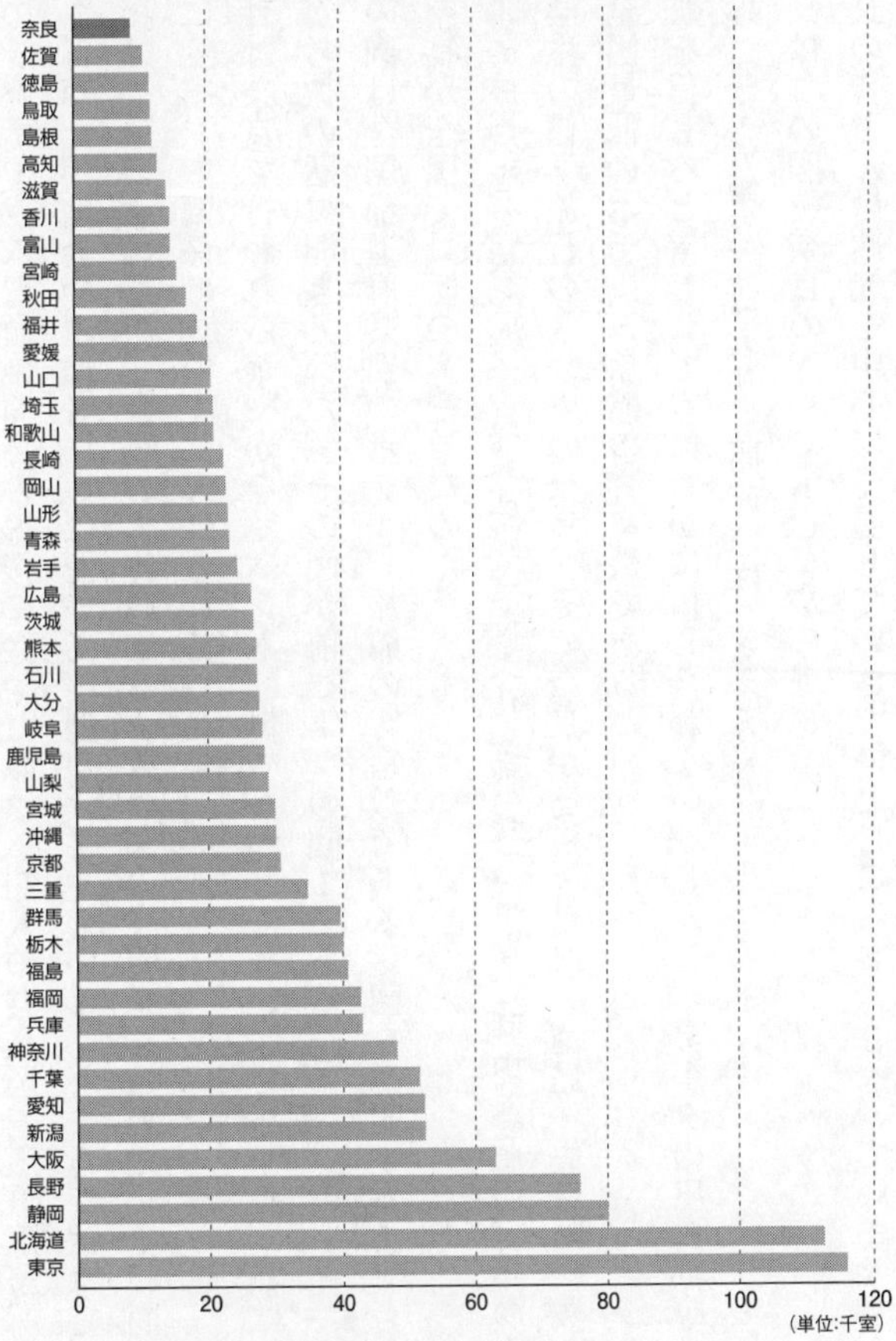

そのシンポジウム冒頭の開会の挨拶に立ったのは、知人の奈良国道工事事務所の所長であった。開会の主催者挨拶はだいたい型が決まっている。ところが彼は定型の挨拶はそこそこにして、会場の人々にある一枚の図の説明をし始めた。その図は事前にイベント関係の袋の中に入れられていた。

それは奈良で行われる華やかなイベントに似つかわしくない図であった。私は驚きながら彼の話に聞き入った。その図が前ページの**図1**である。

この図は全国都道府県別のホテル・旅館の客室数である。図を説明するまでもなく、奈良が全国で最低の客室数なのだ。

日本の歴史を背負った奈良、法隆寺や大仏や飛鳥遺跡など歴史遺産の宝庫の奈良、学生の修学旅行のメッカの奈良、その奈良が島根・鳥取・徳島・佐賀県に抜かれて全国最低のホテル・旅館の客室数であるという。

これを信じろと言われてもにわかに信じられない。しかし、データの出典は厚生省（現・厚生労働省）であり、間違いはなさそうだ。

所長はこの図を奈良の人々に示しながら、

「奈良の皆さんは観光を中心に発展していきたいと日ごろおっしゃっています。しかし、その観光を支える重要なインフラとしてのホテル・旅館はこんな貧弱な状況なのです。さらに、ホテル・旅館だけではなく、道路をはじめ奈良の社会インフラは実に立ち遅れています。しっかりインフラ整備をしていかないと奈良の発展はありません」と説明した。

わかりやすい図を使って一般の人にインフラの重要性を説明しようと努力している例は多く知っているが、これほど鮮やかに社会インフラの状況を説明した例を見たことがない。聴衆の身近な話題で社会インフラを説明し、地元の弱点を突いた上で、地元の発展を励ます見事な弁舌であった。

思いつき

奈良から大阪へ帰る車の中で、あの図のことを考え続けていた。頭の隅で何か忘れていたものが動き出そうとしていた。

あの図が指すように、奈良のインフラはすべての面で立ち遅れている。朝夕の混雑する道路の整備だけではない。この奈良盆地は水はけが悪く、雨が少し集中するとすぐ住宅地は水浸しになる。雨が降らなければ降らないで今度は水不足で苦しめられる。住宅地はスプロール的に広がり、下水道整備が追いつかない。大和川の水質は汚染され、毎年、全国水質ワーストでは常連として名前が出てくる。

奈良の社会インフラは立ち遅れている。それはあの図がいやおうなく示していてその遅れは異常ともいえる。

なぜ、これほど奈良の社会インフラが立ち遅れたのか？

翌日、私は奈良国道工事事務所の所長に電話をして昨日のお礼もそこそこにある頼みごとをした。その頼みごととは、奈良市の人口の歴史的推移を調べてもらうことであった。

「可能なかぎり古い時代、もちろん奈良時代まで遡っての人口の推移であった。一般にこのような古い時代の統計資料はない。県や市の歴史資料館の文献に当たって推計しなければならない。激務の中で申し訳ないがとお願いすると、彼は快く「時間を下さい」と言って引き受けてくれた。

奈良の人口の変遷

それから2カ月が過ぎたころ、所長から連絡が入り、奈良の人口の推移が整理できたという。翌日、大阪へ来る用事があるというので、さっそくそれを見せてもらうことにした。

翌日、来阪した彼がバッグから取り出した一枚の図を見た瞬間、「やはり、そうだった。やっと見つけた!」と声をあげてしまった。所長にもう一つ、頼みごとをした。その図に奈良の街道や鉄道や幹線道路の開通時期がわかるようにしてくれ、という注文であった。彼は快く引き受けてくれた。

その結果は一週間後に出てきた。その図が次ページの**図2**である。

奈良市の人口の歴史的推移がわかりやすく表現されていた。そして、奈良を通過した幹線の開通時期が明瞭に記されていた。

この一枚の図を作成するのがどんなに大変だったか。それは図の(注)に書かれている出典と注釈を読むだけでも伝わってくる。この調査のおかげで遂に証拠を見つ

図2　奈良市人口の歴史的推移

出典（人口）奈良時代：奈良文化財保存課資料
平安時代：奈良文化財保存課資料を基に、建設省（現・国土交通省）奈良国道工事事務所にて推計
室町、桃山時代：『角川日本地名大辞典：奈良』（角川書店）『奈良県の歴史』（永島福太郎著）、『奈良市史』

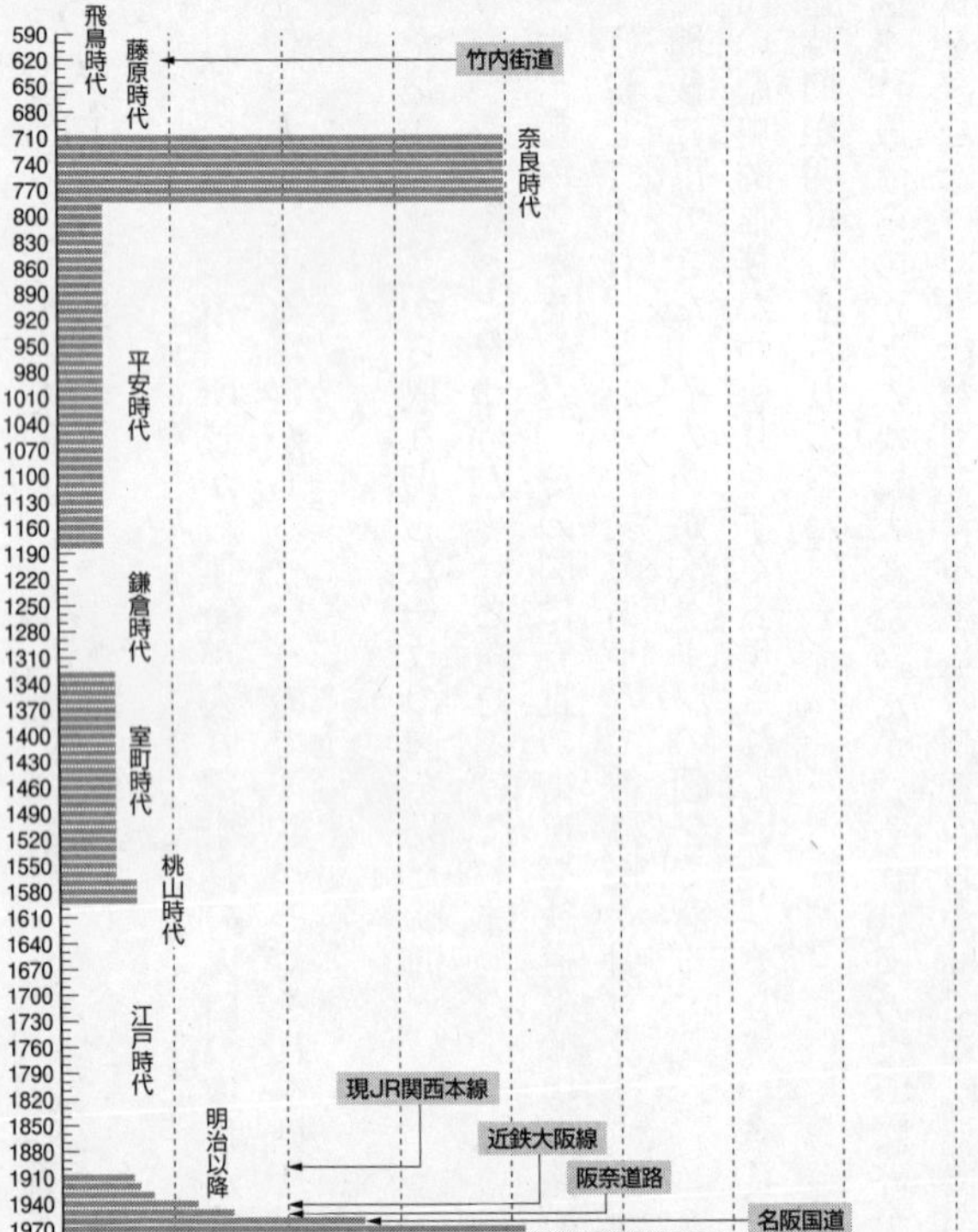

けた。

「交流軸から外れると文明は衰退する」日本での証拠があった。

あきらめた問い

「交流軸の都市は栄える」という言葉を記した宮崎市定氏は中国史の専門家である。

交流軸というインフラがその都市の命運を握っているという。ユーラシア大陸の数千年の長い歴史と広大な地理を考えるとこの「都市」という言葉は「文明」と言い換えてもよい。

「交流軸が文明の命運を左右する」、この言葉はインフラに関心を持つ者にとっては魅力的であり、それを具体的な事例で実証して説明したいという強い思いにかられる。

「交流軸の上にある都市は栄える」の良い事例は京都と滋賀県であり、そのことは前章で紹介した。「交流軸の上にある都市は栄える」は、1995年に逝去された宮崎市定氏の言葉であったが、この京都と滋賀の繁栄で説明できる。

交流軸の上にある都市が栄える事例は見つけたが、あとは交流軸から外れて滅んだ都市の事例を見つけたい。交流軸の上で繁栄した都市と交流軸から外れて滅んだ都市の両方があって、あの宮崎氏の言葉は完璧になる。

「交流軸から外れて滅んだ都市」の事例など日本にあるのか?

この問いが芽生えた瞬間、その答えはあるはずがない、と自分自身でその問いの芽を摘んでしまった。

宮崎氏のフィールドはユーラシア大陸である。このユーラシア大陸は広大で時間軸も桁違いに長い。そのユーラシア大陸なら交流軸から外れて滅んだ都市や文明の事例はあるだろう。

しかし、日本列島は狭隘《きょうあい》である。確定できる歴史も1500年と短い。地理的に狭く時間軸が短い日本で、滅びた都市、それも交流軸から外れて滅びた都市などあるわけがない、とあきらめてしまったのだ。

図3　近畿地方海進鳥瞰図　海面を5m上昇させてある
(この図は、国土地理院提供の数値地図を用いて作成した)

日本文明の誕生

そのあきらめていた問いの答えはすぐ近くにあった。滋賀県の隣の「奈良県」であった。

図2がその奈良の繁栄と衰退とそして再び発展する歴史を示している。この奈良の興亡はすべて交流軸に関係している。交流軸が奈良の興亡を左右していた。交流軸の上に乗ったとき奈良は栄え、交流軸から外れたとき奈良は衰退していった。

奈良盆地は古墳時代の飛鳥京、そして藤原京や平城京の奈良時代を通じて日本の中心として栄えた。その時期、奈良盆地は大いなる交流軸の上にあった。

大いなる交流軸、それはシルクロードであった。

図3はコンピュータで作成した、縄文時代の近畿地方の地形図である。6000年前の縄文前期、海面は今より5m上昇していた。奈良時代にはもちろん海面は低下して現在の水準になっていた。しかし、海だったところは上流から川が流れ込む湿地池であったことには変わりがなかった。海面を5m上げたこの縄文時代の地形図で奈良への旅をシミュレーションしてみる。

大航海時代以前の世界の文明において、最大の交流軸はシルクロードであった。世界各地で文明が誕生して以来ヨーロッパと中東とアジアの情報交流をになったシルクロードは、ユーラシア大陸で終着しなかった。シルクロードはユーラシア大陸から東シナ海へと続いていた。

大陸から舟に乗った人々は東シナ海を渡り日本海の出雲や敦賀や福井に上陸していった。一方ではそのまま舟に乗り玄界灘から関門海峡を通過して、瀬戸内海に入る海上ルートをとった人もいた。瀬戸内海には多くの島々が点在し、中国・四国地方の山々が海まで迫っていた。瀬戸内海には文明を作っていく広い土地はなかった。彼らは瀬戸内海を東へ東へと進んだ。その瀬戸内海の終着地には、坂の上町台地が横たわっていた。彼らは波が速く険しい浪速《なみはや》、難波《なんば》の上町台地の半回り込んで河内《かわち》に入っていった。河内湾では荒々しかった波も穏やかになってい河内湾の北からは流量の大きい淀川が荒々しく流れ出していた。その淀川を避の湾奥の現在の柏原《かしわら》市に近づいていった。

その柏原には奈良盆地から大和川が穏やかに流れ込んでいた。小さな舟に乗りえて大和川の亀ノ瀬を抜けるとすぐに奈良盆地に入った。当時、その奈良盆地には大きな湿地水面が広がっていた。盆地の水面は波で荒れることもない。静かなこの水面を小舟に乗れば、広い奈良盆地の何処へでも行けた。この奈良盆地は実に交通の便のよい水郷盆地であった。

この奈良盆地の奈良がシルクロードという世界の交流軸の終着駅となった。シルクロードに乗って世界中の文明の結晶がこの奈良に届いた。世界中の文明が届いたこの奈良が繁栄しないわけがない。

飛鳥京、藤原京そして平城京と、この湖面の周辺に次々と都が建設されていった。日本で最初の本格的な都市が誕生した。

シルクロードという交流軸の上で日本文明が誕生した瞬間でもあった。

1000年の長い眠り

794年、桓武天皇は大和川流域の奈良から淀川流域の京都へ遷都した。

シルクロード交流軸のコースは大和川から淀川に移った。

あの正月の大学駅伝の最終ゴールのルートが少し変わったように、シルクロードの最終のゴールのコースが少し変更されてしまったのだ。

大陸から来た舟は大坂湾に入ると真北に進み大きな淀川を遡っていった。枚方《ひらかた》、山崎を過ぎると淀川三川が合流する巨椋池《おぐらいけ》が待ち構えていた。その巨椋池の対岸の山裾が京都であった。

大坂から京都への淀川ルートが水運交流の主軸となった。

ところが、この淀川ルートは大和川ルートと決定的に異なる特徴を持って[illegible]る大坂から奈良への大和川ルートは奈良で終着したが、淀川ルートは京都で[illegible]することはなかったのだ。京都の上流には琵琶湖が控えていた。そのため、交流軸は京都から琵琶湖へと続き、さらにその先の陸路の街道へと繋がっていったのだ。

京都から滋賀の大津、そしてその大津から東海道や中山道という陸路の交流軸が生まれていった。東海道は大津から尾張（名古屋）、駿府（静岡）、江戸（東京）へ伸びた。もう一つの交流軸の中山道、甲州街道は濃尾（岐阜）、信濃（長野）、甲府（山梨）、そして江戸へと繋がっていった。

日本の歴史はこの交流軸の上で展開していった。この交流軸の上で人々や物や情報が移動した。この交流軸の上を戦国大名が走り抜け、そこで激しい戦いが繰り広げられた。

そして、19世紀の幕末には若き英雄たちがこの交流軸の上を激しく行き来して、江戸から明治近代への文明の大転換を行っていった。

ところが、この中世から近代にかけての1000年の間、この交流軸から外れていた土地があった。

奈良であった。

奈良時代、シルクロードの終着駅として奈良盆地は栄えた。しかし、淀川という交流軸が形成されると、そこから外れた奈良盆地は単に袋小路の土地となった。交流軸から外れた行き止まりの盆地、奈良は衰退していった。

奈良盆地には平城京の名残の寺社と田畑だけが残った。僧侶と神官とわずかな農民が住む奈良盆地は、日本の1000年間の平安、鎌倉、室町、戦国、江戸の歴史に忘れ去られていた。

日本文明を生んだ大都市、奈良は大いなる田舎となり、歴史遺産を抱えたまま1000年の深い眠りに入っていた。**図4**で奈良盆地が交流軸から外れていたことを示した。

奈良の目覚め

1000年間の眠りの後、奈良に目覚めが訪れた、それも突然に。明治になり奈良に鉄道が敷かれたのだ。特に大阪と伊勢神宮を結んだ近鉄はこの地に大きな衝撃を与えた。

奈良盆地は行き止まりの地ではなくなった。大阪から三重そして名古屋に繋がった。奈良は近畿と中京を直接繋ぐ交流軸の上に乗ることとなった。

図4　交流軸から外れた奈良盆地

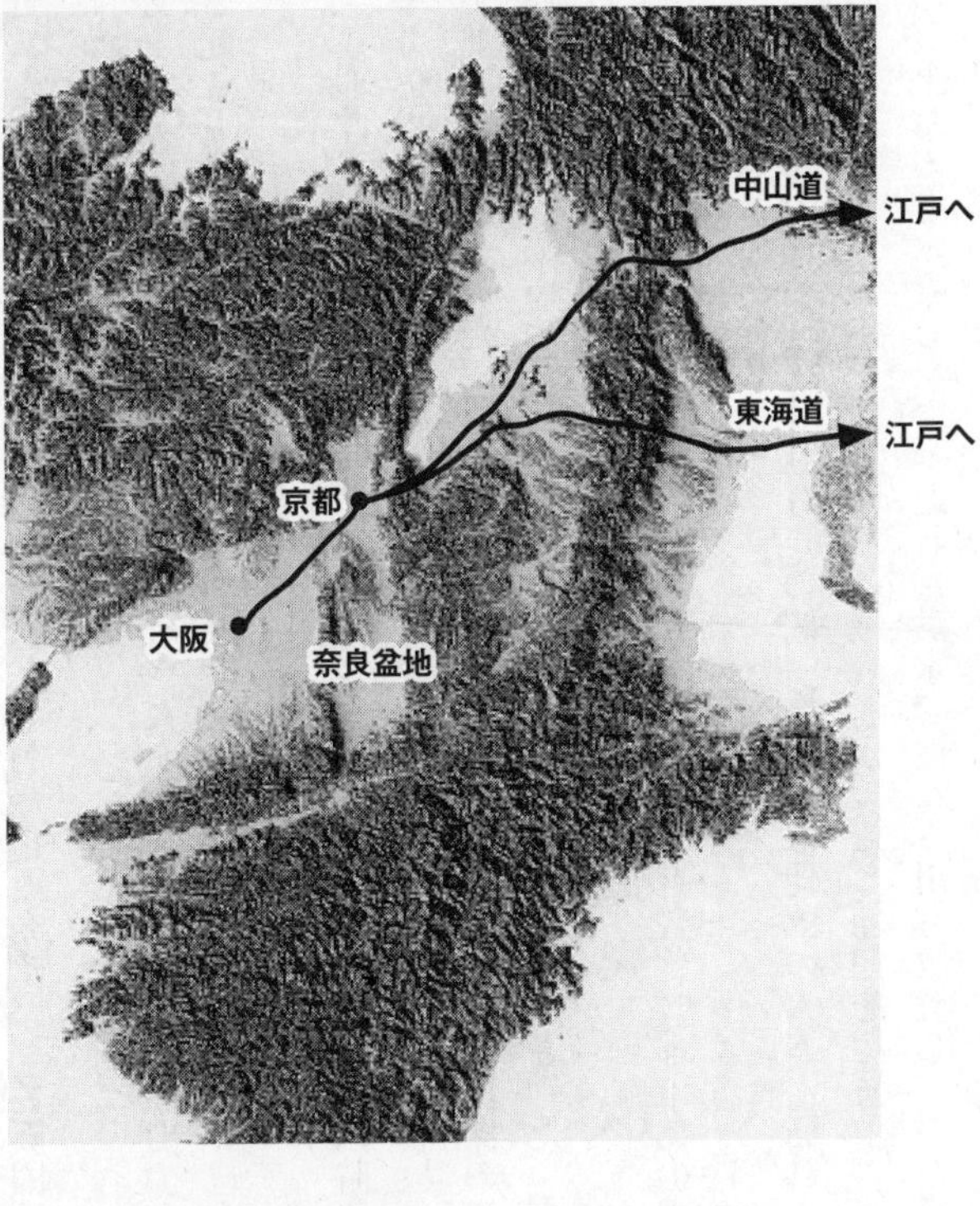

国鉄、近鉄という鉄道交流軸が奈良を貫き、その後、阪奈道路、名阪国道の車文明の交流軸が奈良の地を貫いた。

奈良は爆発的に人口が増加し市街地が広がっていった。奈良は1000年の眠りからたたき起こされたのだ。奈良は準備体操や助走なしに一気に近代化に向けて駆け出した。

江戸時代、日本各地の都市は近世の文明を成熟させていた。この江戸時代は明治近代化の準備体操であり助走の時期であった。人口が集中した江戸や大坂では都市の街路や町並みが整備された。川には多くの橋が架けられ、堤防や浚渫《しゅんせつ》の河川改修がたゆまなく実施されていった。遠くの川から清浄な上水が導水された。大坂では日本最初の都市下水道まで建設されていった。

これに対して、奈良は社会インフラの準備がないまま近代化、都市化の中に放り込まれてしまった。

その証があの**図1**である。1000年の間、奈良には他国の人々が訪れることはなく、そのため宿泊する旅館を用意することもなかった。旅館を用意する必要がなかったため、上水の導水もしなかったし、洪水で溢れる川も放置していた。交流軸から外れた奈良には人々が訪れず、社会インフラを整える必要がなかったのだ。

人々が訪れない奈良は、日本史の躍動から取り残されていた。

「交流軸の上の都市が栄え、交流軸から外れた都市は滅びる」は、交流軸[illegible]にあって栄えた京都・滋賀と、交流軸から外れて衰退した奈良で証明された。

この狭い稠密《ちゅうみつ》な近畿の奈良に、飛鳥時代の壁画が残されており、世界最古の[illegible]群の法隆寺があり、大仏があり、校倉造りの正倉院がある。この奈良の歴史遺跡の保存は奇跡的といってよい。この奇跡は奈良が交流軸から外れ、1000年のタイムカプセルに入って眠っていたからであった。

世界遺産を保存し、それを未来に託していく奈良が、日本史の激動にまき込まれなかったことは日本にとって幸運であった。

歓声が上がった。大学駅伝の選手たちがゴールに近づいてきた。

交流軸は情報伝達の神経であるが、血管のようでもある。交流軸は血管のようにエネルギーと活力を運んでくれる。

観客が溢れる駅伝のルートにも活力が与えられ、アンカーたちは力をふりしぼってゴールで待つ仲間たちの腕に飛び込んでいく。

それにしても、へとへとでゴールに倒れこむ若い選手たちは、なんとすばらしいメモリーを獲得したのだろうか。

第16章

なぜ大阪には緑の空間が少ないか

権力者の町と庶民の町

東京から大阪へ転勤して気がついたことが大阪市の稠密《ちゆうみつ》さである。何しろ人が多い。新幹線の新大阪からJR梅田駅に行き、初めて入った地下街の激しい人波には恐怖さえ感じてしまった。

この大阪に住むと、大阪の心地良さがいつの間にか身体に浸み込んでいく。大阪人の人懐こさとこだわりのない暖かい会話は東京にはない。市内のどの街にも細長い商店街があり、そこの食堂、銭湯で生活していれば単身赴任でもなんら不自由を感じない。

この大阪に住むうちにある疑問に包まれてしまった。なぜ大阪には緑が少ないのだろうか、という疑問であった。東京、仙台、広島、名古屋で生活した経験はあるが、大阪で感じたこのような疑問は初めてであった。それほど大阪の緑は他の都市に比べて少ない。

環境の悪化が地球全体を覆いつつある。この地球環境は個人の身の丈を越えているので、どう考え、どう解決していけばよいかはとても難しい。いつしか、大阪の緑が少ないという疑問は、地球規模の自然環境をどう守っていくかという課題に繋がっていった。

通勤客の波が押し寄せ流れていく朝の麹町の地下鉄駅、私はポスターの前で立ちつくしていた。そのポスターは見慣れている東京の地下鉄マップであった。

「そうか、同じなんだ」と独り言が口から出た。

東京はテヘランや北京と同じだったのだ。

テヘランの緑

2005年5月の連休、イランで開催された国際会議に参加した。イランの国土のほとんどは土漠と山岳で、雨が少なく灼熱の気候である。しかし、事前の情報では、会議の開催地の首都テヘランは標高1200mにあり過ごしやすいと聞いていた。

成田から直行便でテヘラン入りした。ホテルに着いたのは夜で、翌朝5時に目が覚めてしまった。テヘランの右も左も分からないので、ホテルのまわりだけを散歩することにした。

テヘランの背後には3000mクラスの山々がそびえ、その山頂には残雪があった。どこかで見た景色だと考えているとすぐ思い出した。その景色は立山連峰を背景にした富山とそっくりだった。

ホテルの横の道路は坂になっていて、ホテルの玄関からその道路に回りこんだ時、大きな緑の並木が目に飛び込んできた。豊かに繁った高さ20m近くの立派なプラタナスが5m間隔に並んでいた。そのプラタナスは歩道に植えられているのではなく、水路のなかに植えられていた。道路と歩道の間には幅2mの水路があり、山の雪解け水がほとばしり流れていた。

写真1　テヘランのバリアスル並木道

見事なプラタナス並木であった。東京の神宮外苑のイチョウ、仙台の定禅寺通りのケ

ヤキに劣らない立派な並木であった。**写真1**が水路のなかのプラタナス並木である。

イランにもこのような緑の空間があったのだ。

パーレビ王朝の遺産

朝食の後、イラン人ガイドにこの並木のことを聞いた。このプラタナス並木は30年前のパーレビ王朝時代につくられたという。パーレビ王の離宮へ向かうバリアスルと呼ばれる並木道であった。

会議のあい間をぬってもう一度この並木道へ向かった。たまたまその日はイスラム教の休息日の金曜日の午後であり、多くのテヘラン市民がこの並木とそれに並行する緑地公園に集まっていた。あちらこちらの木陰で恋人同士や家族連れが座り、お茶とお菓子を広げていた。通りがかった東洋人の私に「ジャポン?」と声をかけ、お茶に誘ってくれる。

テヘラン市内には緑の憩いの場がない。急激な都市化と車社会の進展で、市内のいたるところで車は渋滞し、排気ガスの充満した空気はどんより濁っている。下町のバザールは迷路のように延び、人々の住居もつぎはぎだらけに建てられている。人々のゴミに対する意識は低く、市内のあちらこちらにゴミが放置されている。テヘランは潤いのない典型的な人工都市であり、このバリアスル並木道は市民の貴重な憩いの場となっていた。

1979年、イスラム革命によってパーレビ王朝はイラン国民に否定された。国民に否定されたパーレビ王朝の離宮への贅沢な並木道が、21世紀のテヘラン市民の緑の財産となっている。

このバリアスル並木道を歩いている時、私は北京の景山公園を思い出していた。

北京の緑

イランへ行く2カ月前、私は北京を訪れた。仕事が一段落して半日の余裕ができた。北京は何度も訪れている。そのため、特別に行きたいところはなかったが、中国駐在の友人がぜひにと案内してくれたのが、紫禁城の裏の山だった。

写真２　景山公園の緑

写真提供：ＡＦＬＯ

紫禁城とその天安門と天安門広場はよく知っていた。しかし、この紫禁城の裏へ行くのは初めてだった。たしかに紫禁城の裏にはこんもりとした山があり、その周辺は木々が生い茂る公園となっていた。それが景山公園であった。

紫禁城は元朝が建設した。その紫禁城を明朝が改築した際、紫禁城の周辺に防御のため幅50ｍの濠《ほり》を張り巡らせた。その濠を開削した残土23万㎡で盛り立てたのが、高さ45ｍの景山であった。

清王朝はこの景山の麓に池を配置し木々を植え、皇室の庭園つまり禁苑とした。現在、この庭園は一般公開され、北京市民の憩いの場となっている。前ページの**写真2**が景山公園である。

北京はいつも埃っぽい。北西の砂漠から飛んでくる細砂と排気ガスで空はいつも曇っている。市内にはビルが林立し、緑は少なく、潤いのない近代的な人工の大都市である。

この荒涼とした北京にこのような森の空間があることに驚いた。木々がうっそうと茂る公園で北京市民たちは散策し、木陰に座り話しこみ、ゆっくりと大極拳を繰り広げていた。

中国の王朝は国民に否定された。国民に否定された王朝がつくった宮庭が、21世紀の国民の貴重な財産となっている。

テヘランのバリアスル並木道を歩いていて北京の景山公園を思い出したのは、両方とも潤いのない人工都市の中の貴重な緑の空間であり、ともに、かつての権力者がつくった空間であったからだ。

東京の地下鉄マップ

麹町の地下鉄の駅で私の目を釘付けにしていたのが、329ページの**図1**の東京地下鉄マップであった。

都民だけでない日本中の人々が見なれている地下鉄マップである。私自身もこの地下鉄マップは数え切れないほど見ている。

東京の地下鉄は今でも発展し続けている。路線は新設され、延伸され、郊外の私鉄と連結され続けている。地下鉄の知識がなければ都内では動きがとれない。東京でなくてはならないのがこの地下鉄マップだ。この地下鉄マップは見やすく分かりやすい。

朝の人波の中でこの地下鉄マップの前に立っていたのは、路線を見るためではない。地下鉄マップに分布している緑色に目を奪われていたのだ。本書はモノクロなので伝わりづらいが、**図1**の陸地アミ掛け部分が実際は緑色になっている。なぜ、地下鉄会社がこのように都内の緑地を強調しているのかは知らない。ともかく、この地下鉄マップは都心部の緑地をよく表わしている。

目につく主な緑地は皇居と北の丸公園、上野公園、六義園、小石川後楽園、新宿御苑、代々木公園、日比谷公園、浜離宮、芝公園、国立自然教育園などの公園のほか、明治神宮、靖国神社、護国寺などの寺社である。

都民の憩いの場のすべての緑地は、かつての権力者たちがつくったものばかりであった。パーレビ王朝がつくったテヘランのバリアスル並木道や中国王朝がつくった北京の景山公園と同じように。

権力者の緑地

皇居は言うまでもなく、徳川将軍の居住城で江戸幕府の所在地であった。明治以降は天皇家の居住所となり、現在は宮内庁の管轄となっている。

上野公園は寛永寺の境内であったが、明治時代に宮内庁の管轄を経て、大正年代に東京市へ下賜《かし》された。六義園は5代将軍・綱吉から下賜された土地を柳沢吉保が庭園に作り上げ、明治時代には岩崎弥太郎によって所有され、その後、東京市に寄

図1　東京地下鉄マップ　　東京地下鉄株式会社©2007.1

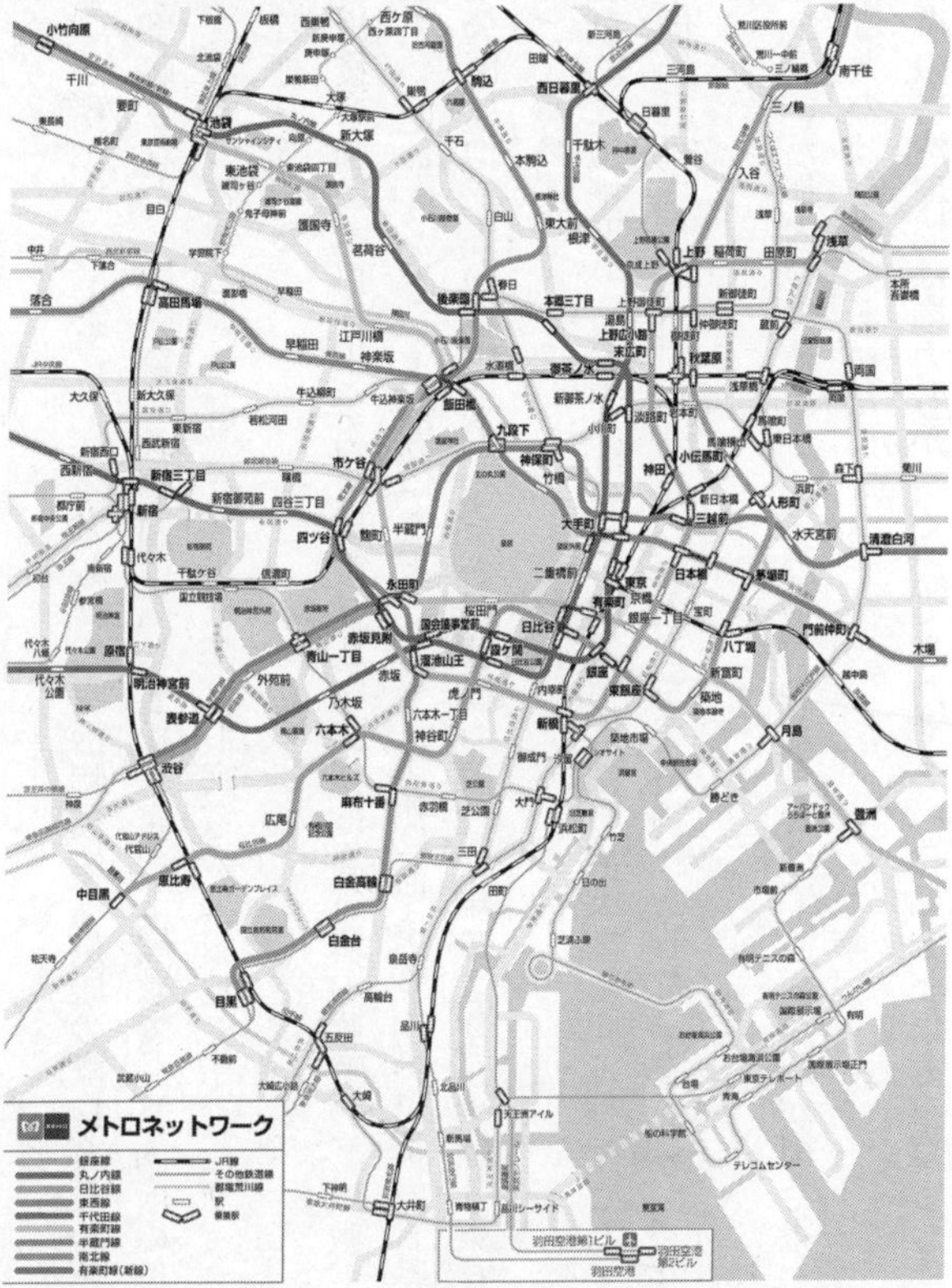

20070123 DESIGNED by ぴあ株式会社

付された。

浜離宮は6代将軍・家宣の庭園であり、明治時代には皇居の離宮となった後、東京都へ下賜された。国立自然教育園は高松藩松平家の下屋敷で、宮内庁の御料地から旧・文部省の管轄となった。有栖川公園は旧宮家の御用地であったが、今では東京都が管理している。

小石川後楽園は水戸徳川家の上屋敷、新宿御苑は高遠藩内藤家の下屋敷、日比谷公園は松平肥前守などの上屋敷であったが、現在は環境省と東京都の管轄下にある。芝公園は増上寺の境内であったが、戦後の政教分離により、やはり東京都の管轄となっている。

護国寺は5代将軍・綱吉が創建し、明治神宮は明治天皇を祀る神社として創建され、靖国神社は戊辰戦争で亡くなった人々を祀る神社として創建され、現在に至っている。

寺社を除いた都内の緑地はかつての権力者たちがつくり、行政が引き継いで存続しているものばかりであった。

大都市の自然環境は権力者がつくってきた。テヘランも北京も東京も全く状況は同じであった。その時代に力と富を持った者が緑豊かな自然環境をつくり保持してきたのだ。

それがわかると、長年大阪に抱いていた疑問がすーっと解けていった。

緑のない大阪

1997年、大阪へ転勤して阿倍野区に住むことになった。東京から大阪へ引っ越してすぐ気がつくことがあった。それは大阪には緑が少ないことである。なぜ、大阪には緑が少ないのか？

もちろん大阪城や中之島公園、谷町筋のお寺には緑がある。しかし、それらは東京に比べればはるかに少ない。散歩するとそれを肌で感じる。

東京の散歩では不思議に緑の空間に出会う。その緑豊かな公園のベンチで一休みして、また歩き出す。都内での散歩は緑の空間との出会いの繰り返しとなる。ところが、大阪の散歩ではめったに緑の空間と出会わない。

大阪の人たちが緑を愛していないかというと、決してそうではない。大阪の人たちは草木や花をこよなく愛している。どこの路地に入りこんでも、狭い軒先に小さな鉢植えがところ狭しと置かれ、季節の花があふれんばかりに咲き誇っている。大阪の人々が草木や花を愛していることは間違いない。しかし、大きな緑の空間に出会うことはめったにない。

なぜ、大阪には緑の空間が少ないのだろう、という疑問が心の中に沈んでいた。その疑問があの東京の地下鉄マップで解けた。それは大阪は庶民の町であり、権力者の町ではなかったからだ。江戸時代、天下の台所の大坂の主役は、近松門左衛門や井原西鶴が描いたように庶民であった。

大都会に吸い寄せられた庶民の住む空間は狭い。それまでの大きな区画の土地は細かく分割され、人々はその狭い空間に肩を寄せ合い生きていく。土地が細かく分割されれば、当然、歴史の跡や緑の空間は失われていく。

その代表的都市が大阪の「堺」である。

——権力に対峙した「堺」

堺のことは高校時代の歴史の授業で必ず習う。権力と武器を持たない商人たちが戦国大名たちと渡り合った「自由都市・堺」「市民都市・堺」は印象深い。私も高校生の時、未だ見たことのない「堺」は憧れの地として心に刻みこんでいった。

大阪に移り住み、最初の休日に行ったのが堺であった。京都でも奈良でも神戸でもなく憧れの都市・堺であった。新世界の駅からチンチン電車のような阪堺《はんかい》線に乗り、心を躍らせて堺に向かった。

堺市内に着き、電車から降りて歩き始めた。一時間歩いてもなにもなかった。所々に史跡の説明板はある。しかし、見わたすかぎり民家やビルが密集しているだけで歴史の空間らしきものはなかった。

ついにたまりかねて交番で史跡を尋ねてしまった。その交番の警察官は仁徳陵を教えてくれたが、私は「自由都市・堺」に行きたかったのだ。警察官はもう一度ていねいに千利休の屋敷跡を教えてくれた。

ビルと民家の間をぬって千利休の屋敷跡へ向かった。その屋敷跡に着いて、愕然《がくぜん》とした。そこには何もないのだ。利休が茶の湯で使ったといわれる井戸は確かにあった。しかし、それだけなのだ。

屋敷跡の周囲には民家が建ち並び、この千利休の跡地もすぐに押しつぶされ消えてしまう運命かと思わせた。

権力に対峙した市民都市・堺には強権的な権力はいなかった。堺の史跡と緑の自然はとめどもなく潰されていた。

夕方、悄然《しょうぜん》として私は大阪へ帰った。

自然を守るもの

なぜ、自然豊かな環境空間は権力者がつくってきたのか?

答えは簡単だ。権力者は広大な土地を獲得できたからだ。広大な土地を獲得するだけではない。その広大な土地を何十年、何百年も保持できたからだ。庶民は広大な土地など獲得できない。もし獲得できても、その土地を何十年も何百年間も保持などできない。

江戸期から明治時代になると同時に、日本から権力者は消えていった。権力者が不在の近代日本で、広大な土地を何十年もそのまま保持することは不可能であった。それは、江戸古地図を見れば分かる。

かつては広大な大名の屋敷跡も、今ではビルが林立する空間となっている。あの大邸宅を持っていた大名の子孫たちは、それを保持できなかった。いったん手放せば、土地は細かく分割され、史跡も自然もこの地上から消え去っていく。

地下鉄マップにあった緑の空間は権力者たちがつくった。しかし、彼らはそれを自分で保持し続けたのではなく、行政に引き継いでやっと緑の空間として残せたのだ。

近代日本では資本経済がすべてを呑み込んでいく。歴史の記憶や緑の自然環境は土地とともに資本経済に呑み込まれていった。相続制度もそれに輪をかけて広大な土地、つまり史跡や自然の空間の存在を許さなかった。

近代化のなかで歴史の記憶や自然環境は潰され、消え去っていった。

130年前、日本人は封建社会から国民国家への変身を図った。日本の主役は国民となった。その国民は庶民であった。

その庶民は歴史の記憶を消し、自然環境を潰していく存在であった。

21世紀の今、歴史の記憶を大切にし、自然環境を保全したいという人々の思いが顕在化している。しかし、人々の思いだけで歴史空間や自然空間が保存されることはない。

歴史と自然を守り保全してきたのは権力者であった。今、その歴史と自然を守っていく権力者などいるのか？

いったい21世紀の未来社会で、地球の環境をつくり、地球の環境を守っていく権力者は誰なのだろうか。

第17章

脆弱な土地・福岡はなぜ巨大都市となったか

漂流する人々の終の棲家

福岡は不思議な巨大都市だ。巨大都市にしては大河川がないのだ。大河川がないから、福岡には稲作社会が発展する条件の大きな沖積平野がない。石狩、仙台、関東、新潟、濃尾、大阪平野などと比較すれば福岡の不思議さが理解できる。日本において、沖積平野の存在は都市発展には不可欠であった。大河川による沖積平野は稲という富を生み、広大な平野には人々が集まった。

福岡にはその沖積平野がない。それにもかかわらず、福岡は日本で指折りの大都市になってしまった。日本の都市発展の常識を覆してしまった都市が福岡なのだ。

その福岡の不思議さに気がつかせてくれたのが、博多の中洲に立つ「飢人地蔵《うえにんじぞう》」だった。空襲や地震や水害の被害者を弔うお地蔵さんは都市の中にある。しかし、政令指定都市の真ん中に、飢えで亡くなった人々を弔うお地蔵さんがあるなどと聞いたことがない。

飢人地蔵さんは中洲に立ち、今でも博多の人々に大切にされている。このお地蔵さんが、巨大都市、福岡の歴史を背負い、福岡の不思議さを示していた。

謎を解くきっかけとなった本

その先輩は本好きでいつも本を抱えている。その日も片手に本を持って居酒屋に入ってきた。ビールが酒に変わる頃、一年ぶりの時間は埋まり放談が始まっていた。

私は博多での最近の経験を話していた。それは、博多の中洲の真ん中で「飢人地蔵」を見たことであった。飢餓といえば東北という先入観があり、まさか九州で飢餓があったとは想像もしていなかった。

私のその話が終わるか終わらないうちにその先輩は「福岡に関して面白い本がある」と言った。それは帚木《ははきぎ》蓬生《ほうせい》氏のサスペンス小説だという。

翌日、さっそくその先輩からメールが入っていた。その小説の題名は『白い夏の墓標』（新潮文庫）であった。早速、その日の帰りに八重洲ブックセンターで手に入れた。

その本が私の福岡の謎を一気に解くきっかけとなった。

飢人《うえにん》地蔵《じぞう》

ある年の7月、明日から祇園山笠が始まるという日に博多へ入った。昼間は猛暑で汗をかきながら用務をこなしたが、夜になると少し過ごしやすくなった。翌朝は一番の飛行機で帰京しなければならなかったので、祇園山笠の雰囲気を少しでも味わおうと夜の街へ出ていった。

博多駅前のホテルから中洲に近づくと、あちらこちらに「山笠」がガードマンに守られて鎮座していた。夜の10時過ぎにもかかわらず人通りは多く、人々は出番を控えた山笠を見上げながら屈託なく楽しげに歩いていた。

那珂《なか》川と博多川に囲まれた中洲は西日本最大の繁華街だ。ましてや勇壮な祇園山笠の前夜であり華やかさに溢れていた。

この華やかな光の中洲で、突然暗い博多の歴史と出会ってしまった。

散歩にも疲れて、ネオンが映る博多川のほとりに座り、缶ビールを開け博多の夜を一人で味わっていた。12時近くになったのでホテルに向かって歩き出すと、異様

写真1　博多　飢人地蔵尊

な祠《ほこら》のような空間が左手にあった。

その祠には祭提灯の電球は点灯していたが、何ともいえない薄暗い空間であった。山笠を控えた華やかな中洲だからよけいその暗さを感じたのだろう。

その祠をのぞくとお地蔵さまがいた。上の看板を見ると「飢人地蔵尊」とあった。

飢人地蔵尊？　福岡で飢餓のお地蔵さん？　ここは北海道や東北ではない。ここは温暖な九州だ。この九州で飢餓があったのか？

時間が遅かったので祠の付近に人影はなく、この地蔵尊について尋ねることができなかった。お賽銭を投げ入れ地蔵尊に手を合わせて、ホテルに向かった。

部屋に帰るとすぐインターネットで「博多、飢人地蔵」を検索した。前ページの**写真1**がその飢人地蔵である。

不自然な福岡

1730年代の享保18年、日本は害虫「ウンカ」被害により大飢饉に見舞われた。後にこの飢饉は江戸三大飢饉の享保、天明、天保飢饉の一つに数えられることとなった。

この「享保の飢饉」で西日本も大きな被害を受けた。特に福岡・黒田藩の被害は大きかった。被害規模についてはさまざまな説があるが、博多だけでも6000人もの死者があったと推定されている。

特に博多にはもともと貧困層がいたことと、周辺の農村部から飢民が流れ込んできたことが被害を大きくした。享保の飢饉の被害者を供養する地蔵尊や塔が福岡市内で5カ所もあることからも、福岡市内での被害の甚大さが推測できる。

時計はすでに午前2時を回っており明日の日程もあったので、無理やりパソコンを閉じてベッドについた。しかし、その夜から私の頭には「福岡」が居ついてしまった。

この福岡の大飢饉を知る以前から、私は何となく福岡が気になっていた。それは「なぜ、これほど脆弱な福岡に人が集まり、これほどの大都会になってしまったのか?」であった。

福岡市は面積340㎢と小さい。その中に約150万人もの人々が住んでいる。人口だけではない、この福岡市には西日本の中枢機構が集中し、行政、産業、商業の中心地として発展してきた。

この福岡市は不自然なほど無理をした巨大都市なのだ。

危険な福岡

歴史上、繁栄した都市は四つの共通した条件を備えている。「安全」「食糧」「エネルギー」「交流軸」である。

では福岡の「安全」はどうなのか?

残念ながら福岡はどう見ても安全とはいえない。

日本の歴史上、日本が侵略される唯一の危機が元寇であった。その危機の舞台がこの福岡であった。

福岡は玄界灘をはさんで朝鮮半島の目と鼻の先にある。朝鮮半島を通して福岡は大陸の大帝国に無防備に姿を曝《さら》していた。この福岡は外敵に対して盾となる山という自然の要塞はない。福岡の海岸線の地形は開放的で、外敵の船隊がいつでも侵入できる良好な入江まで用意していた。

福岡は外敵に無防備なだけでなく、自然災害にも無防備であった。

特に豪雨に弱い。700年前の鎌倉時代に書かれた住吉神社絵馬図を見ると、福岡市の中心部は海として描かれている。鎌倉時代まで、博多の中心街の中洲、天神はすべて海の下であったのだ。

江戸時代以降、海は少しずつ埋め立てられ現在の福岡が形成されていった。その生い立ちからして福岡は水はけが悪く浸水しやすかった。豪雨のたびに田畑は浸水し、人々は少しでも高い土地を探しては肩を寄せ合い住んでいた。明治以降、その

写真2 博多の地下街を襲う濁流 国土交通省提供

低平の田畑は一気に都市として膨張していった。

現在、博多には巨大なビルが連なり、もう微小地形は読み取れない。しかし、ひとたび豪雨になれば、その濁流は都市のビル群に隠れている低平地を探し当てて襲っていく。博多のビル地下に濁水が浸入し住民が死亡した2003年の事故は全国の人々を驚かせた。**写真2**は博多のビル街を襲う濁水である。

地震についても福岡は危険であった。大きな地震がないと思われていたが、2005年のマグニチュード7・0の福岡西方沖地震がその安心感をくつがえした。

福岡は外敵にも自然災害にも安全とはいえない。危うい地理と地形の上に築かれた巨大都市であった。

食糧とエネルギーがない福岡

現代社会の食糧とエネルギーは広範囲な流通網に依存している。しかし、明治以前は、食糧とエネルギーを自足できるかどうかが、その土地の発展を決した。

もちろん、主要な食糧は米でありエネルギーは薪《まき》であった。

この米と薪に共通して必要なものは河川である。河川の沖積平野と水が米を与えてくれ、河川の上流域の森林がエネルギーの薪と炭を与えてくれた。

都市が繁栄するための食糧とエネルギーの確保、それを言い換えると、「大きな川があるかどうか」であったのだ。

世界最古の四大文明の例を挙げるまでもなく、文明と河川の関係は日本においてもまったく同様であった。日本文明も川のほとりに誕生し、その川の大きさに比例して規模を拡大した。

日本の首都変遷がその典型である。大和川の奈良、淀川の京都、利根川の江戸と、河川の大きさに応じて首都は規模を大きくしていった。

近代明治になってもその原則は貫かれていた。何しろ近代都市で人々が生活し、動きまわり、生産活動するには大量な水を必要とする。近代都市にとっても川の存在は不可欠であった。

全国の中枢都市は石狩川の札幌、名取川、阿武隈川の仙台、利根川の東京、信濃川、阿賀野川の新潟、木曾川、庄内川の名古屋、淀川の大阪、太田川の広島と、みな一級河川と呼ばれる大きな河川流域の恩恵で発展してきた。

次ページの**図1**は全国を河川の流域で分割した珍しい図である。

札幌、仙台、新潟、東京、名古屋、大阪、広島など主要都市は大きな河川流域に抱かれて、その中で健やかに育ったことがわかる。

それに対して福岡市ブロックは川が記入されていない空白地域となっている。このブロックには那珂川のような小さな川はあるが、この全国の図に書き込めるような大きな規模の川はないのだ。

図1　日本の河川流域図

（九州の拡大図）

もらい水

福岡市内を流れている那珂川の長さは34㎞と短く、流域面積も120㎢と小さい。市内で見る那珂川にはいつも満々と水があるが、その水は博多湾の塩水であり人々の生活や都市活動には役立たない。

福岡は小さな川しか持たない巨大都市なのである。大河川がないのにこれほど巨大に膨れ上がった都市は見当たらない。その不自然なほど背伸びした反動は必ずくる。

近代になり福岡はその無残な姿をさらけ出した。近代都市の水道史に残る最悪の事態を迎えてしまった。1978年の福岡大渇水である。その年、福岡都市圏は1年近い渇水に見舞われ、市民生活と都市活動は深い傷を受けた。

今、福岡都市圏は山を越えた流域外から水を得ている。毎日毎日、筑後川から福岡導水を通じて18万㎥の水が送られ続けている。他流域からのもらい水でどうにか福岡は維持されている。

福岡は地理的に無防備で、浸水しやすく、水飢饉と飢餓におびえ、エネルギーも自足できない脆弱な都市であった。

都市の条件の4項目のうちの3項目「安全」「食糧」「エネルギー」はあまりにも見劣りする。

なぜ、福岡はこのような異常な巨大都市になったのか？

福岡が巨大都市へ向かって走り続けた衝動、原動力は一体なんだったのか？

博多の街で飢人地蔵を見た時から、福岡への疑問を強く意識してしまった。それから2カ月後に帚木氏の小説を読むことになった。

B型肝炎ウィルスの亜種分布

帚木氏は1947年福岡生まれで、東京大学仏文科を卒業後TBSに勤務、2年後九州大学医学部に学んだ。今は現役の精神科医であり、いくつもの賞を受賞した日本の医学サスペンスの第一人者である。その彼のデビュー作がこの『白い夏の墓標』であった。

圧巻だったのが小説の冒頭で紹介される「B型肝炎ウィルス」についてであった。

B型肝炎ウィルスは血と血がまじりあう親密な関係を経て感染するユニークなウィルスだ。人と人が交わって伝播するこのウィルスは「文化」の伝播のようなものだ。人を通じて伝播《でんぱ》する文化は地域的特徴をもつ。それならB型肝炎の多くの亜種にも地域的特徴があるのではないか。この仮説に基づいて主人公医学チームは日本及び日本周辺のB型肝炎ウィルス亜種「r型」と「w型」の分布の解明に取り組む。

その結果、ウィルス亜種によって歴然と地域差がでた。r型は九州に多く、北上するに従いw型が増加していく。r型の占める比率で示すと、福岡92%、広島89%、岡山85%、神奈川77%、東京68%、栃木61%、秋田46%と見事な勾配を示していた。

数字の勾配からいけば北海道は30%台になるが、実際は東京と同じ68%であり、逆に距離的には近く90%でよいはずの沖縄は14%であった。

これだけではない、日本周辺各国の亜種の分布が衝撃的であった。中国、韓国ではr型が100%で、w型が0%であった。さらに驚くことに、台湾、フィリピン、インドネシアでは逆にr型が0%でw型が100%であったのだ。

ここまで明らかになれば次の推論は十分説得性を持ってくる。すなわち、

「原初の日本民族はB型肝炎ウィルスw型に感染していた南方系であった。そこへ中国大陸からr型に感染していた人々が九州ないし本州西端に上陸し、ゆっくり北上しついには本州北端まで到達した。しかし、明治になって全国各地の人々が北海道へ移住したので北海道は平均化され東京と同じ値になった。他方、r型の人々は南下しなかったので沖縄はw型の原型を保ち続けた」

B型肝炎ウィルスの亜種分布が数万年にわたる日本列島での民族の交流を教えてくれているのだ。

なんとワクワクする仮説だろう。肝炎ウィルスが日本人のルーツを指し示しているのだ。

私はこの部分を読み終わり文庫本を伏せた時、「あっ、もしかすると！」とあわてて書類棚に向かった。書類棚のデータ集ファイルを繰って取り出したのが、日本列島へ漂着したゴミ分布図であった。

ゴミ漂着分布図

数年前、土木学会主催のシンポジウムで「外国漂着ゴミの調査」という防衛大学の山口晴幸教授の奇妙で風変わりな研究発表があった。

次ページの**図2**が山口教授が調査したゴミ漂着の分布図である。山口教授は日本周辺の海洋安全のため、海上から日本列島へどのような漂着物が流れ着くかを調査していた。日本国土を守るためこのような地味な調査研究が積み重ねられていたのだ。

やはり思ったとおりだった。

図2のゴミ漂着分布図によれば、福岡における海外漂着物は圧倒的に多い。特にハングル文字の漂着物が多く、その次に大陸系漢字となっている。先島《さきしま》諸島や沖縄では台湾やフィリピンからの漢字や英字の割合が増えている。

本州最北端の青森ではハングル文字が多い。帚木氏は青森のデータは示していないが、ゴミ漂着分布図で青森を推測すれば、南から北上した黒潮が北からの親潮に

図2　外国漂着ゴミの分布　　防衛大学校　山口晴幸教授作成

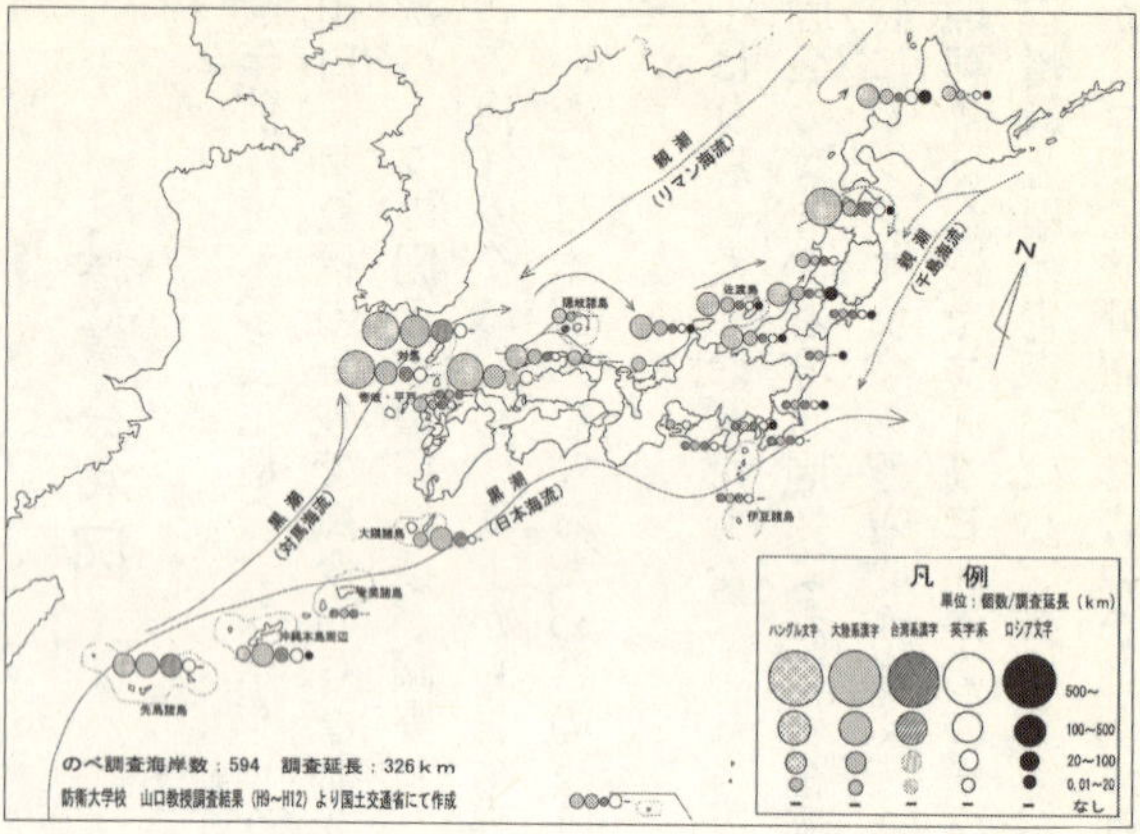

押され青森に向かって漂着物が増えているのであろう。ゴミはただただ何日間も海上を漂っていたが、漂流している人間は生きている。陸地を見れば上陸の努力をする。つまり、漂流する人々が最初に上陸する土地が福岡であった。

福岡は日本列島の玄関口であったのだ。

南方系が先に漂着していたのか、大陸系が先だったかはこのゴミ漂着データでは判別できない。しかし、断定できることは2点ある。すなわち、日本列島の日本人は南方系と大陸系が入り混じって形成された。そして、大陸から日本列島への入口は福岡であった。

期せずして、肝炎ウィルス亜種分布とゴミ漂着分布図という異分野のデータが、福岡の謎を抱えていた私に同じ出口を指し示していた。

その謎の出口は「大交流軸」であった。

情報の塊が流れ着く大交流軸

福岡は都市の条件の4番目の「交流」がとてつもなく大きなウエイトを占めていた。単に本州と九州を結ぶ交流軸などというものではない。

ユーラシア大陸を横断し朝鮮半島から日本列島にたどり着く世界文明の大交流軸、その大交流軸の上に福岡は位置していた。

情報のなかで一番中味が詰まっているのが人間である。太古の昔から福岡へ人という情報の塊《かたまり》が流れ着いていた。その漂着はユーラシア大陸の大交流軸のシルクロード以前に遡る。黄河文明はもちろん、インダス、メソポタミア文明時代にも漂着していたかもしれない。なぜなら、その交流エネルギーは海流という自然の力であった。地球誕生以来、海流がこの福岡へ世界中の人々と情報を運び続けてくれていた。

福岡は「安全」「食糧」「エネルギー」はない。しかし、その障壁を吹き飛ばすほど「交流」は強烈であった。世界中の人々が次から次へと漂着してくる日本列島の玄関が繁栄しないわけがない。

21世紀の今でもその状況は同じだ。新幹線で博多駅に着き、博多駅から鹿児島本線に乗り換えた瞬間それを知ることになる。列車内のアナウンスで日本語に引き続いてハングルと北京語が流れてくる。

南太平洋やユーラシア大陸から旅をしてきた人々は、東の海の中に浮かぶ島にたどり着いた。その列島の東にはもう何もなく太平洋という海原が無限に広がっているだけであった。漂着した人々はこの列島を終の棲家にする決心をした。何千年もかけ、世界中から流れ着いた人々は交わりながら、列島に広がっていった。

そして、長い年月をかけて世界でも特異な日本文明を創り出していった。

福岡が不自然なほど巨大なのは、日本文明を創っていった多くの人々の記念すべき足跡であったのだ。

福岡の繁栄は必然であった。

第18章

「二つの遷都」はなぜ行われたか

首都移転が避けられない時

日本文明は奈良で誕生し、奈良から京都へ遷都し、徳川幕府の江戸を経て東京と名前を変えて近代を迎えた。日本の歴史は奈良、京都、東京の3つの都、つまり二度の大きな遷都を経て現在に至っている。

歴史家たちは、桓武天皇の奈良から京都への遷都は、道鏡の仏教との確執、藤原氏との確執、天智天皇系と天武天皇系の争いなどと説明する。また、徳川家康が江戸で幕府を開府したのは、大坂の豊臣家や西国大名と距離を置きたかったとか、朝廷と距離を置いた源頼朝を真似たとか、東北の伊達家に対するけん制であったなどと説く。

これら遷都の理由は人文社会分野であり、解釈は多岐多様であり、決め手がなく、止めどもなく議論は続いていく。

ところが、日本の二度の遷都を地形や自然環境の観点から見ると、遷都の理由がストンと胸に落ちていく。

この地形や自然環境の下部構造からの観点は、日本の歴史を乗り越えて、世界中の多くの文明が栄え、そして滅んでいった普遍的な結論にたどり着いていくこととなる。

文明の存続

米国の国際政治学者の故・サミュエル・ハンチントンは、世界の歴史で12の文明があったとしている。そのうち七文明は、すでに存在していない。その滅びた七文明とは、メソポタミヤ、エジプト、クレタ、古代ギリシャ・ローマ、ビザンティン、中央アメリカ、アンデス文明である。

現在も存在し続けている文明は五つ。西欧、中国、インド、イスラムそして日本文明である。これに新しい三つの文明、東方正教会（ロシア）、ラテンアメリカ、アフリカ文明を加えて、今の世界には八つの文明があるという（『文明の衝突と21世紀の日本』集英社新書）。

この八つの文明の中で、日本文明は特に異彩を放っている。

その異彩とは、日本文明は島国一国だけで文明圏を形成している点である。この文明に敵対する文明はない。連携する文明もない。日本文明の特徴は、孤立していることである。

約2000年間、日本文明は滅びることなく存続し続けた。国らしい体制をとって以降、日本は外敵に武力で侵略され征服されたことはなかった。外敵に征服されなかったのは、日本が極東の島国であったからだ。

では日本文明が存続できたのは「島国」という理由だけだったのか。

文明が滅びるシナリオには二つある。一つは「強力な外敵」によるもの。もう一つは文明の「自壊」である。

外敵に侵されなかった日本文明に、もう一つの滅びのシナリオ「自壊」の危険性はなかったのか？

「日本文明の自壊の可能性は二度あった。その二度とも『遷都』によって危機を脱した」

これが本章での結論である。

日本の二度の遷都

遷都という概念は幅広いため、言葉を定義しておく必要がある。

本章で遷都とは「政治、行政の中枢機構と文化を担う人々の移転」とする。天皇御所の所在地にはこだわらない。

この定義でいえば、日本において遷都は二度あった。

第1回目は、794年の桓武天皇による京都への遷都。

第2回目は、1603年の徳川家康による江戸幕府の開府である。

このほか鎌倉時代には、政治権力を担った武士たちは鎌倉に移住した。しかし、文化の担い手は公家たちであり文化の中心は京都であった。

その後、南北朝時代や室町時代になると文化の担い手は武士たちに移行していった。だが、政治の本拠地は再び関西に戻り、文化も北山文化、東山文化と呼ばれるように京都が中心であった。

1467年、応仁の乱から戦国の世に突入した。

戦国時代、時の勝者は拠点の城を築き、その城下町で独特の文化が花開いた。信長の安土城と秀吉の大坂城が代表的である。しかし、この城下町のにぎわいは、日本文化を担うにはあまりにも短期間で終わってしまった。

このほかにもう一度、遷都があったのかもしれない。それは邪馬台国から奈良盆地・大和への遷都である。しかし、邪馬台国の所在地は確定できていないので、残念ながら遷都の対象としない。

日本での遷都は「奈良から京都へ」と「京都から江戸へ」の2回とする。

謎の平安遷都

794年、桓武天皇は奈良盆地を出て京都へ遷都した。

4世紀頃、畿内の豪族が連合して大和に統一政権を誕生させて以降、約400年間、権力の中枢と文化の中心は奈良盆地にあった。大坂の難波京や大津の近江京に政治中枢が移転したことはあった。しかし、それらは一時的であり、あくまで都は一貫して奈良盆地であった。

6世紀末に飛鳥京、694年に藤原京、710年に平城京が奈良盆地に次々と建設されていった。奈良盆地は日本文明を生んだ母なる盆地となった。

桓武天皇は、この母なる奈良盆地から出ていく決断をした。

この遷都は本格的でかつ徹底していた。784年にまず淀川のほとりの長岡京に遷都し、さらに10年後、長岡京から平安京へと移った。

朝廷や貴族たちはもちろん官人、工人そして一般庶民のすべてが移動した。さらに宮廷の建材、瓦、内装装飾品は解体され持ち出された。奈良盆地には一部の寺社と農民以外は何も残らなかった。

それ以降の日本史は、琵琶湖―京都―大坂の淀川軸で華々しく展開されていった。

この奈良から京都への遷都には、未だに謎が横たわっている。

「桓武天皇が遷都した理由は何か？」である。

平安京への遷都の理由は、歴史家の間でも諸説ある。

一つは、道鏡をはじめとする仏教の影響力から遠ざかるため。

一つは、桓武天皇は天智天皇系だったので、天武天皇系の奈良から離れるため。

一つは、藤原一族などの在来貴族の影響を遠ざけるため、などである。

歴史の専門家は文系である。そのため歴史の解釈は政治、経済、宗教など人文社会的なものとなっていく。人文解釈は実に多様であり、決め手がないまま果てしなく論議が続いていく。そのため謎は謎として、いつまでも残されてしまう。

私の歴史解釈は、地形、気象、インフラの下部構造からのアプローチを取っていく。

今回も同様である。つまり、奈良盆地が都に選ばれたのも、その後、奈良から脱出し京都へ遷都したのも、その原因は「奈良盆地の地勢」にあったと考えている。

奈良盆地が都になる必然

図1は、348ページの日本全国のうち、近畿地方を拡大したものである。21世紀の現在の地形から見ると「なぜ、奈良盆地が都になったのか？」が理解ができない。

ともかく奈良盆地は大阪湾から離れていて内陸に入っている。さらに360度周囲は山で、他の土地との連絡も悪い。奈良はどこから見ても交通の要所とはいえない。

歴史の楽しみは、タイムトンネルを抜けて、当時の人々の気持ちになり、彼らの時間を追体験していくことである。

地形や地理に関しても同じである。現在の地形で歴史を考えると間違いを犯す。地形も時間と共に変化する。そのため地形もタイムトンネルを抜けなければならない。そして、当時の地形の上に立たなければならない。
第15章「日本文明を生んだ奈良は、なぜ衰退したか」と一部重複するが、なぜ奈良が日本最初の首都になったかを3～4世紀の地形の上に立ちシミュレーションしてみよう。

図1　近畿地方の河川流域図

今の大阪平野は、当時は湿地帯であった。大坂湾は上町台地を回り込み内陸の奥まで入り込んでいた。また、今の大和川は堺市へ流れている。しかし、奈良時代の大和川は奈良盆地を出ると向きを北に変え、大坂湾に流れ出ていた。堺へ流れている今の大和川は、江戸時代に掘られた人工の水路なのだ。

奈良が都になる4世紀頃、大坂平野の奥まで海と川が混じる湿地帯が広がっていた。まさに河内《かわち》と呼ばれた地であった。

船で瀬戸内海から大坂湾に入り、上町台地を回り込み、大和川を遡ると生駒《いこま》山、金剛山の麓《ふもと》まで行くことができた。中国大陸から生駒山麓の柏原市まで直接舟で行けたのだ。柏原で小舟に乗り換え生駒山と金剛山の間の亀の瀬を越えると、もうすぐそこは奈良盆地であった。

この奈良盆地には、大きな湿地湖が広がっていた。その湿地湖を利用すれば奈良盆地のどこにでも舟で簡単に行くことができた。

奈良盆地全体が、大坂湾の荒波を避ける穏やかな自然の内港のようであった。

舟を利用すれば奈良盆地は便利がよく、ユーラシア大陸との連絡も容易であった。

奈良盆地が日本の都になったのは、地形から見て合理的であった。

しかし、この奈良盆地を抱える大和川流域はいかにも小さい。348ページの図では豆粒ほどだ。

川の流域が小さいということは、資源が少ないということであった。

川の流域が支配する資源は「水」と「森林」であり、水は生命の源で、森林はエネルギーの源である。大和川の流域の小さい奈良盆地は、この「水」と「森林」に限度があった。

変貌した奈良盆地

生物の中で人間だけが燃料がなければ生きていけない。文明の誕生と発展にとって燃料すなわちエネルギーは絶対的なインフラであった。19世紀に石炭と出会うまで日本文明のエネルギーは木であった。

エネルギーだけではない。日本の寺社、住居、橋、舟など、構造物はすべて木造であった。モンスーン地帯の日本は森林が豊かであり、木材は潤沢に手に入った。エネルギーであり資源となった森林は日本文明存続の大前提であった。

故・岸俊男氏（奈良県立橿原考古学研究所長）の推定では、平城京内外に10万から15万の人々が生活していたという。

また、作家の石川英輔氏によれば燃料、建築などで使用する木材は、江戸時代で一人当たり1年間で20〜30本の立木に相当する量であったという。

奈良時代でも一人当たり最低10本の立木は必要であったと推定すると、奈良盆地で年間100万から150万本の立木が必要となる。いくら日本の木々の生育が良いといっても限度がある。毎年毎年100万本以上の立木を伐採していたのではたまらない。その量は小さな大和川流域の森林再生能力をはるかに超えていた。

森林伐採がその再生能力を超えれば、山は荒廃する。

荒廃した山に囲まれた盆地は、極めて厄介で危険である。荒廃した山では保水能力が失われ、沢水や湧水が枯渇し、清潔な飲み水が消失していく。

また、雨のたびに山の土砂が流出し、盆地中央の湿地湖は土砂で埋まり奈良盆地の水はけは悪化していく。

水はけが悪くなれば、生活汚水は盆地内でよどみ不衛生な環境となり、さまざまな疫病が蔓延していく。また、水はけが悪ければ雨のたびに水が溢れ、住居や田畑が浸水してしまう。

桓武天皇がこの奈良盆地を脱出し、大和川より何倍も大きく「水」と「森」が豊かな淀川流域の京都に遷都したのは当然であった。

現在、奈良盆地の周囲の山々は見事な緑となっている。それは第8章で述べたように、淀川交流軸から外れた奈良盆地は、歴史から忘れ去られていたからである。この忘れ去られた1000年の時間が、奈良の山々を癒してくれたのであった。

「地勢的に、奈良から京都への遷都は必然であった。あのまま奈良盆地にこだわっていたら、文明は衰退し自滅していった」

これが、桓武天皇が平安遷都を行った私の解釈である。

湿地に囲まれた厄介な江戸

2回目の遷都は「京都」から「江戸」であった。

豊臣秀吉は1583年に大坂城の築城を開始した。その同じ1583年、徳川家康も甲府城の築造を開始した。しかし1590年、家康は秀吉の命令により、築造中の甲府城を断念し江戸へ移った。まだ家康は秀吉の命令に抗するほど力がなかった。

家康は街道の要所「甲府」をあきらめ、厄介な土地「江戸」へ移らざるを得なかった。

当時の江戸は厄介な土地であった。

利根川は銚子ではなく江戸湾に流れ込んでいた。そのため江戸下町一帯は広大な湿地帯であった。当初の遊郭「吉原」は、今の日本橋あたりで、当時そこはまさに「ヨシ原」であった。

もともと縄文時代、関東平野一帯は海であった。江戸時代でも関東平野は、利根川の洪水が好き勝手に暴れる氾濫原であった。関東平野が魅力的な土地になるのは、利根川の流れを銚子に移す大工事を待たなければならなかった。

「利根川東遷」と呼ばれるこの大土木工事は、家康、秀忠、家光と三代の将軍にわたり、60年の歳月を費やし1654年に完成した。

さて時間を元へ戻そう。1600年、家康は関ヶ原の戦いで勝ち、1603年征夷大将軍となった。

この時、家康は幕府を大坂に開設しなかった。家康は関西に背を向け、江戸に戻ってしまった。ここで江戸への遷都が最終的に確定した。

まだ戦火がくすぶっているこの時期、天下を睨み各地の武将を押さえ込むなら圧倒的に地の利は関西にあった。関西なら大坂、京都、滋賀どこでも良かったはずだ。それにもかかわらず、湿地に囲まれ利根川が氾濫を繰り返す厄介な「江戸」へ、家康は戻って行ってしまった。

これは政治的に大変危険な選択であった。

関西を嫌った家康

「なぜ、家康はあの江戸へ戻ってしまったのか？」

この問いのエネルギーからの解答が373ページの**図2**である。この図は、巨木の伐採圏の遷移を示している。図のタイトルの「記念構造物のため」でわかるように、宮廷、寺院、城などを建造する巨木の伐採の時代変遷である。巨木の伐採場所や伐採時期は、寺社に保存されている縁起で特定できる。それらを丹念に調査して作成した図である。

これによると、平安遷都した頃の巨木の伐採圏が、淀川流域とみごとに重なっている。

さらに安土桃山時代の頃には、伐採圏が近畿から中部、北陸、中国、四国と急速に拡大していった様子がはっきりとわかる。

東京大学名誉教授の太田猛彦氏によれば「最初に建築材の巨木の伐採が入る。それに続き燃料材の採取。その後に農民による焼畑利用などが進む」という。

この**図2**によって、単に巨木伐採の広がりだけがわかるのではない。人口の増加と文明の発展、それに伴う森林消失と山地荒廃の広がりを透かして見ることができる。

家康が関ヶ原で戦っていた頃、木材需要は関西圏の森林再生能力を超えていたことが**図2**からわかる。当時、大坂で約40万人、京都でも約40万人の人口であったといわれている。少なく見積もっても、関西圏で年間800万本の立木が必要であった。これでは関西の山地は荒廃せざるを得ない。すでに室町時代の後半、京都の東山や比叡山は荒廃していたと伝えられている。

山地の荒廃が進展すると、雨のたびに養分を含む表層土壌が流出し、森林再生は困難となっていく。兵庫県の六甲山、滋賀県の田上山《たなかみやま》がその代表である。昭和年代までこれらの山々は、荒れるにまかせ放置されていた。

図2　記念構造物のための木材伐採圏

『河川』2000-1月号「山と森の1000年」(太田猛彦)より引用
(タットマン[熊崎訳、1998]より引用)

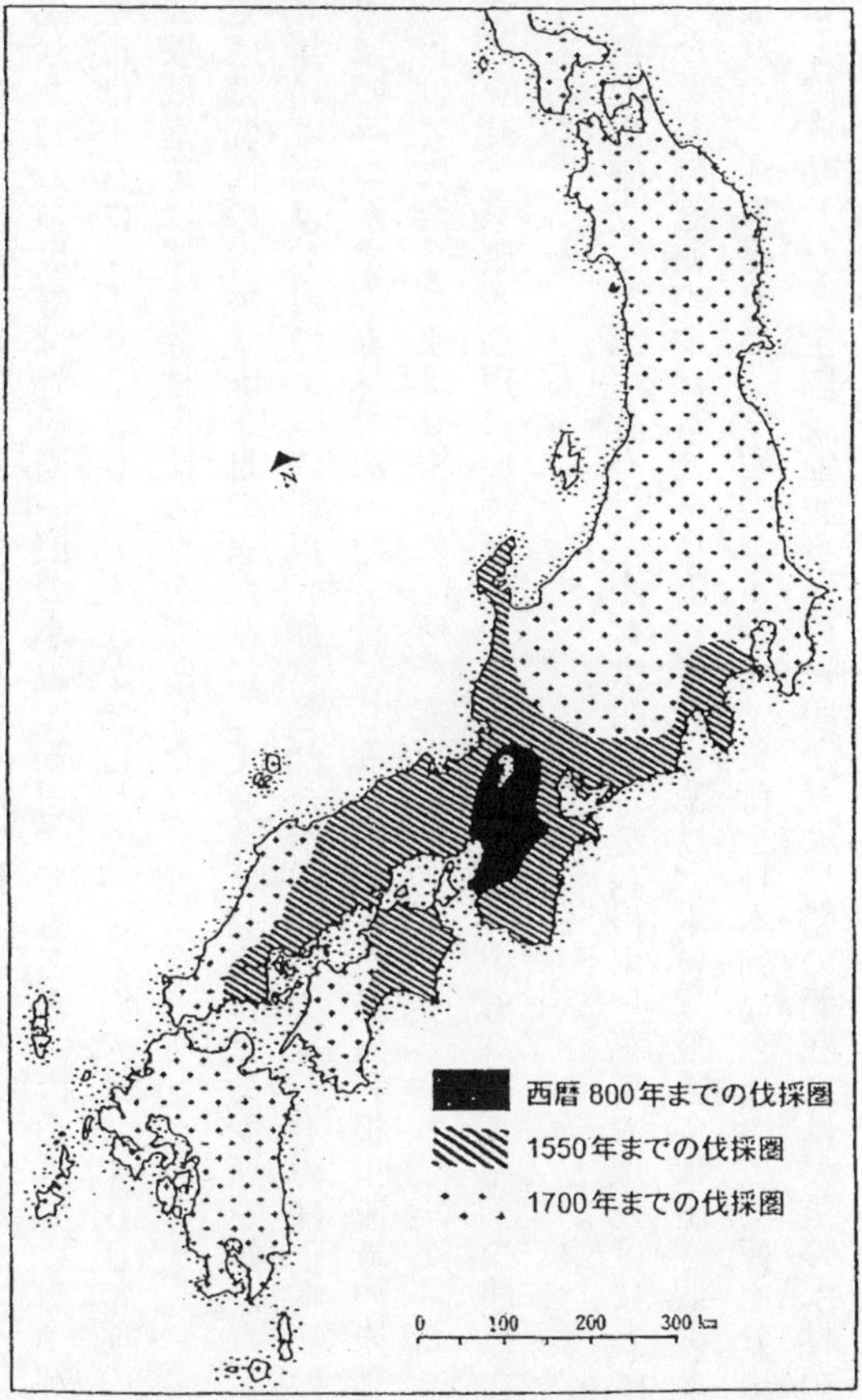

1938年7月、梅雨前線豪雨と共に六甲山各所で崩壊が発生し、大規模な土石流が発生した。この災害は谷崎潤一郎の小説『細雪』でもとりあげられている。神戸、芦屋市は土石に埋まり700人の人々が死亡した。この災害は、400年前の秀吉の大坂城築造に伴う森林伐採のツケであった。

徳川家康は関西の山地荒廃を目の当たりにしていた。家康はこの関西を嫌った。1590年に家康は秀吉によって江戸へ移封されたが、そこで見たものは日本一の利根川流域の手つかずの森林であった。目にしみ入るような緑は利根川流域の未来の発展を告げていた。家康は利根川の江戸を選択した。

これが「なぜ、家康が江戸に戻ったのか？」の問いに対するエネルギーの観点からの答えである。

強力な権力を確立した江戸幕府は、木材供給基地を利根川・荒川流域だけにとどめなかった。幕府直轄の木材基地を日田、吉野、徳島、木曾、飛驒、秋田、蝦夷《えぞ》と全国へ広げた。江戸幕府は、文明のエネルギー負荷を日本列島全体へ広く薄く分担させることに成功した。全国各地から江戸に向かう大型船の船底には大量の木材が積み込まれた。

こうして日本全土から江戸へエネルギーが注入されたことにより、100万人という当時の世界最大の都市・江戸の出現が可能となり、徳川幕府260年の長期政権が保たれたのであった。

リアルでない東京遷都

将来、東京の遷都はあるのか?

現在、日本は石油、石炭、ウラン等のエネルギーはもちろん、木材、繊維、鉱物、穀物も輸入に頼っている。首都・東京のみならず日本中に物資とエネルギーが全世界中から注入されている。もう日本国内の森林は使用されていない。世界の木材輸入国のNO.1が日本で、世界の全輸入量の25%を占めている。

地球上の資源枯渇問題は、いつか襲ってくる。しかし、この地球規模の資源枯渇問題が、首都移転の論点にはなっていない。現在の首都・東京の問題点は将来の東京直下型大地震に対する危機管理である。

危機管理は人間の頭の中で行ったシミュレーションによる認識であり理念であ

る。人間の頭で考えた認識や理念によって遷都は行われない。

遷都とは歴史を動かすことである。遷都には巨大なエネルギーと莫大な資金が必要となる。そのため遷都を実行する強力な権力の存在が不可欠となる。もちろん、その権力の不退転の強い意志が必要である。

桓武天皇も家康も強力な権力を保持し、共に遷都への不退転の意志を持っていた。しかも、この両者は頭の中で未来のシミュレーションを行い、「遷都すべし」という意志を固めたのではない。

森林が伐採され、土壌が流出し、山が荒廃した現実、そのリアルな現実を目撃し「遷都せざるを得なかった」から遷都をしたのだ。直面した現実によって、桓武天皇も家康も不退転の強い決意を持たざるを得なかった。

「現実」に背中を押され、「結果として」遷都をやらざるを得なかった。

歴史は計画論者ではない。歴史はいつも結果論者なのだ。

リアルな北京遷都

我々の身近にリアルな遷都問題がある。それは北京の遷都である。

筆者の勝手な意見ではない。中華人民共和国の朱鎔基首相が漏らした言葉である（『エコノミスト』2001・10・23「中国『砂漠化』深刻で『北京遷都』の現実味」沈才彬）。

2000年（平成12年）春、砂塵が北京を襲った。その北京市郊外を視察した朱首相は、かつての草原地帯が砂漠に変貌しているのを目の当たりにした。その光景に衝撃を受け、つい口から北京からの遷都という言葉が出てしまった。それほど中国の砂漠化は深刻な事態となっている。

朱首相が驚愕したのは2000年であり、それ以降もさらに激しく黄砂は発生し続けている。被害は日本、韓国でも顕在化してきた。もう黄砂は春の風物詩などと言っていられなくなった。

現在砂漠となっている黄河流域は、かつて森林の宝庫であった。その証拠が残されている。1万2000㎞の万里の長城と8000体の人形が埋蔵されている兵馬《へいば》俑坑《ようこう》である。

紀元前、秦の始皇帝が建設した万里の長城のレンガと、皇帝陵の陶製の人形を焼いた木材量は膨大なものであった。あまりの膨大さに圧倒され、試算する気にもならない。この二つの世界遺産が製作されたという事実が、黄河流域は大変豊かな森林地帯であったことの証拠である。

燃料のための森林伐採による砂漠化は少なくとも2000年以上の年季が入っている。

さらに、近代になってからそれが一気に加速された。急激な人口増加に伴う食糧と燃料を得るために、急激な森林伐採や家畜の過放牧が行われた。

1960年代、日本国土面積の2・5倍もあった草原の60%が消失し、砂漠化してしまった。今では毎年、神奈川県と同じ面積の2500㎢が次々と砂漠になっているという報告がある。

砂漠化が始まれば、養分豊かな表土は雨に流され、風に飛ばされ消失してしまう。森林再生のため苛酷な気象のもとで、荒れた大地に植樹をしている中国の人々の姿を見ると、絶望感に襲われてしまう。

中国政府は、長江の水を黄河へ導水する「南水北調事業」を決定し実施している。この事業が完成するまで北京は砂漠化に耐え切れるのだろうか。たしかに南水北調事業が完成すれば飲料水や産業の水は充足するだろう。しかし、いったん砂漠になってしまった大地が、緑の森林や草地に簡単に戻るとは思えない。

遷都は、中国の首都・北京にとってはリアルな問いとなり、我々は遷都というドラマを、中国大陸で目撃することになるかもしれない。

邪馬台国の所在地は確定できていないため、邪馬台国から奈良盆地への遷都には触れずにきた。

しかし、本章の「河川流域の森林限界で遷都が行われた」という仮説で邪馬台国の場所を推理するゲームをしてみよう。

つまり、大和川よりもっと小さい流域の邪馬台国から、大和川の奈良盆地へ移ってきたと仮定するのだ。全国にある多くの邪馬台国の候補地の中で、大和川より小さな流域はあるのだろうか。

一カ所だけあった。それは福岡の博多湾に面する流域――伊都《いと》国であった。

本書は、ＰＨＰ研究所より発刊された『土地の文明』（二〇〇五年六月）と、『幸運な文明』（二〇〇七年二月）をもとに再編集したものである。本文中の組織名・役職名などは、当時のものを使用している。

著者紹介
竹村公太郎（たけむら　こうたろう）
1945年生まれ。横浜市出身。1970年、東北大学工学部土木工学科修士課程修了。同年、建設省入省。以来、主にダム・河川事業を担当し、近畿地方建設局長、河川局長などを歴任。2002年、国土交通省退官。現在、リバーフロント研究所代表理事及び日本水フォーラム事務局長。社会資本整備の論客として活躍する一方、地形・気象・下部構造（インフラ）の視点から日本と世界の文明を論じ、注目を集める。
著書に、『日本文明の謎を解く』（清流出版）、『土地の文明』『幸運な文明』（以上、ＰＨＰ研究所）、『本質を見抜く力――環境・食料・エネルギー』（養老孟司氏との共著／ＰＨＰ新書）などがある。

ＰＨＰ文庫　日本史の謎は「地形」で解ける

2013年10月21日　第１版第１刷
2014年３月４日　第１版第11刷

著　者　竹村公太郎
発行者　小林成彦
発行所　株式会社ＰＨＰ研究所
東京本部　〒102-8331　千代田区一番町21
文庫出版部　☎03-3239-6259（編集）
普及一部　☎03-3239-6233（販売）
京都本部　〒601-8411　京都市南区西九条北ノ内町11

PHP INTERFACE　http://www.php.co.jp/

組　版　株式会社PHPエディターズ・グループ
印刷所
製本所　図書印刷株式会社

ISBN978-4-569-76084-1